O drama da criança bem-dotada

CIP-BRASIL. CATALOGAÇÃO NA PUBLICAÇÃO
SINDICATO NACIONAL DOS EDITORES DE LIVROS, RJ

M592d
3. ed.

Miller, Alice, 1923-2010
    O drama da criança bem-dotada : a busca do verdadeiro eu / Alice Miller ; tradução Claudia Abeling. - 3. ed. rev. e ampl. - São Paulo : Summus, 2024.
    136 p. ; 21 cm.

    Tradução de: Das drama des begabten kindes : und die suche nach dem wahren selbst : eine um : und fortschreibung
    Apêndice
    ISBN 978-65-5549-137-1

    1. Adultos vítimas de maus-tratos na infância - Saúde mental. 2. Adultos vítimas de maus-tratos na infância - Reabilitação. 3. Pais e filhos. 4. Feridas narcísicas. 5. Repressão (Psicologia). I. Abeling, Cláudia. II. Título.

23-87324
                              CDD: 616.85822390751
                                      CDU: 616.89-008-053.8-058.68

Meri Gleice Rodrigues de Souza - Bibliotecária - CRB-7/6439

www.summus.com.br

Compre em lugar de fotocopiar.
Cada real que você dá por um livro recompensa seus autores
e os convida a produzir mais sobre o tema;
incentiva seus editores a encomendar, traduzir e publicar
outras obras sobre o assunto;
e paga aos livreiros por estocar e levar até você livros
para a sua informação e o seu entretenimento.
Cada real que você dá pela fotocópia não autorizada de um livro
financia o crime
e ajuda a matar a produção intelectual de seu país.

O drama da criança bem-dotada

A busca do verdadeiro eu

Alice Miller

Tradução de Claudia Abeling

summus
editorial

O DRAMA DA CRIANÇA BEM-DOTADA
A busca do verdadeiro eu
Alice Miller

Do original em língua alemã
DAS DRAMA DES BEGABTEN KINDES
Und die Suche nach dem wahren Selbst
Eine Um- und Fortschreibung

Copyright © Suhrkamp Verlag Frankfurt am Main 1995, 1996
Direitos desta tradução adquiridos por Summus Editorial

Editora executiva: **Soraia Bini Cury**
Tradução: **Claudia Abeling**
Revisão técnica: **Walter Ribeiro**
Preparação: **Janaína Marcoantonio e Karina Gercke**
Revisão: **Mariana Marcoantonio**
Diagramação e projeto gráfico: **Crayon Editorial**
Capa: **Renata Buono**

Summus Editorial
Departamento editorial
Rua Itapicuru, 613 – 7º andar
05006-000 – São Paulo – SP
Fone: (11) 3872-3322
http://www.summus.com.br
e-mail: summus@summus.com.br

Atendimento ao consumidor
Summus Editorial
Fone: (11) 3865-9890

Vendas por atacado
Fone: (11) 3873-8638
e-mail: vendas@summus.com.br

Impresso no Brasil

SUMÁRIO

1 O drama da criança bem-dotada e como nos
tornamos psicoterapeutas.. 7
Qualquer coisa é melhor do que a verdade 9
Pobre criança rica..13
O mundo perdido dos sentimentos 17
A procura do verdadeiro *self* 23
A situação do psicoterapeuta..31
O cérebro dourado 37

2 Depressão e grandiosidade: duas formas de negação 39
Destinos das necessidades infantis 41
    O desenvolvimento saudável 41
    O transtorno 43
A ilusão do amor 47
    A grandiosidade como autoenganação 47
    A depressão como o reverso da grandiosidade 49
    Depressão como negação do self 53
Fases depressivas durante a terapia..........................65
    Função sinalizadora...65
    "Atropelar-se" 66
    A acumulação de emoções fortes 67
    Conflitos com os pais 67
A prisão interior 69
Um aspecto social da depressão 75
A lenda de Narciso..79

3 O círculo vicioso do desprezo 81
A humilhação da criança, o desrespeito pelo fraco —
onde isso vai dar? 83
Exemplos do cotidiano 83
O desprezo no espelho da terapia 95
A articulação danificada do self *na*
compulsão de repetição 96
A perpetuação do desprezo na perversão e na neurose
obsessiva 98
A "depravação" no mundo infantil de Hermann Hesse
como exemplo de "mal" concreto 106
A mãe como agente da sociedade durante o período
dos primeiros anos de vida 113
A solidão daquele que despreza 116
Libertando-se do desprezo 120

Posfácio de 2008 125

As raízes da violência 129

Perfil de Alice Miller 133

O DRAMA DA CRIANÇA BEM-DOTADA E COMO NOS TORNAMOS PSICOTERAPEUTAS

QUALQUER COISA É MELHOR DO QUE A VERDADE

A experiência nos ensina que, na luta contra os transtornos mentais, temos apenas uma arma de longo alcance: *a descoberta e a aceitação da história, única e específica, de nossa infância.* É possível nos libertarmos totalmente das ilusões? Toda vida é cheia de ilusões, talvez porque a verdade nos pareça insuportável. *Mesmo assim, a verdade nos é tão essencial que o preço por sua perda é adoecer gravemente.* Dessa forma, procuramos descobrir, por meio de um longo processo, nossa verdade pessoal, aquela que, antes de nos brindar com um novo nível de liberdade, dói continuamente — a menos que nos contentemos com um reconhecimento intelectual, o que nos faz permanecer na esfera da ilusão.

Não podemos mudar em nada nosso passado nem desfazer os males que nos foram imputados na infância. Mas podemos mudar a nós mesmos, nos "consertar", reconquistar nossa integridade perdida. Isso é possível na medida em que decidimos observar mais de perto o conhecimento sobre o passado arquivado em nosso corpo e aproximá-lo de nossa consciência. Sem dúvida, é um caminho desconfortável, mas é o único que nos oferece a possibilidade de, finalmente, deixar a invisível (e ao mesmo tempo cruel) prisão da infância, nos transformando, de vítimas inconscientes do passado, em pessoas responsáveis, que são cientes de sua história e, com isso, capazes de conviver com ela.

A maior parte das pessoas faz exatamente o contrário. Não quer saber nada de sua história e, dessa forma, não sabe que, no fundo, é continuamente determinada por ela, pois vive situações não resolvidas, reprimidas na infância. Não sabe o que teme e evita perigos que foram reais um dia, mas hoje não existem mais. Essas pessoas são impulsionadas por lembranças e necessidades inconscientes que, com frequência — enquanto permanecerem inconscientes e não resolvidas —, determinam de maneira perversa quase tudo que fazem ou deixam de fazer.

A repressão dos maus-tratos sofridos no passado leva algumas pessoas, por exemplo, a destruir a própria vida e a vida de outros, incendiar casas de estrangeiros, promover vinganças, tudo em nome de um "patriotismo", a fim de ocultar a verdade de si mesmas e não sentir o desespero da criança torturada. Outras reproduzem ativamente o sofrimento a que foram submetidas, em clubes de flageladores, em cultos a sacrifícios de todos os tipos, no mundo sadomasoquista, chamando tudo de libertação. Há mulheres que furam os mamilos para pendurar brincos, posam para jornais e contam, orgulhosas, que não sentiram dor e que se divertiram com isso. Não há do que duvidar nessas afirmações, pois essas mulheres tiveram de aprender muito cedo a perder a sensibilidade. E o que não fariam hoje para não sentir a dor da garotinha que sofreu abuso sexual pelo próprio pai e precisou imaginar que o atentado fora prazeroso? Uma mulher que sofreu abuso sexual quando criança, que negou a realidade de sua infância, está constantemente fugindo dos acontecimentos passados — com a ajuda de amantes, álcool, drogas ou ações excepcionais. Ela precisa estar sempre "ligada" a fim de não sucumbir ao "tédio", não pode se permitir um segundo de tranquilidade, quando seria possível sentir a ardente solidão da realidade de sua infância, pois teme esse sentimento mais do que a morte — a menos que tenha tido a sorte de aprender que reviver e tomar consciência dos sentimentos da infância não mata, liberta. Não raro, o que mata é reprimir os sentimentos, cuja vivência consciente poderia nos revelar a verdade.

A repressão dos sofrimentos da infância determina não só a vida do indivíduo como também os tabus da sociedade. Conhecidas biografias ilustram isso de maneira muito clara. Ao ler biografias de artistas famosos, por exemplo, notamos que sua vida começa em algum ponto da puberdade. Antes disso, o artista teve uma infância "feliz" ou "sem preocupações" ou, ainda, "cheia de privações" ou de "estímulos", mas o modo como a infância de cada um transcorreu parece ser de absoluto desinteresse. Como se na infância não estivessem ocultas as raízes de toda a vida. Gostaria de ilustrar o fato com um exemplo simples.

Em suas memórias, Henry Moore escreveu que, quando menino, podia massagear as costas da mãe com óleo para reumatismo. Ao encontrar essa passagem no livro, subitamente, fiz uma leitura muito pessoal das obras de Moore: mulheres grandes, reclinadas, de cabeça pequena — vi a mãe pelos olhos do garoto, cuja perspectiva diminuía a cabeça e percebia como imensas as costas próximas. Isso pode ser irrelevante para os críticos de arte. Mas, para mim, é um indício da intensidade com que as experiências de uma criança podem se conservar no inconsciente e das possibilidades de expressão que podem despertar quando o adulto está livre para admiti-las.

Nesse caso, a lembrança de Moore não era nociva e pôde sobreviver intacta. Mas as experiências traumáticas de toda infância permanecem no escuro. Nesse escuro, ficam também escondidas as chaves para a compreensão da vida posterior.

POBRE CRIANÇA RICA

No passado, eu me perguntava se seria possível avaliar a extensão da solidão e do abandono aos quais fomos expostos quando crianças. Hoje, sei que isso é possível. Não estou falando de crianças que cresceram abandonadas de fato e se tornaram adultas com essa verdade. Falo da grande quantidade de pessoas que vêm à terapia com a imagem de uma infância feliz e protegida. São pacientes que tinham muitas possibilidades, ou mesmo talentos desenvolvidos posteriormente, e que eram elogiados por seus dons e feitos. Quase todos, com 1 ano de idade já não usavam fraldas e muitos deles, aos 5, já ajudavam a cuidar dos irmãos menores.

Na opinião da maioria, essas pessoas — orgulho de seus pais — deveriam ter autoconfiança sólida e estável. O que ocorre é exatamente o contrário. Saem-se bem ou excepcionalmente bem em tudo que empreendem, são admiradas, invejadas, têm sucesso, mas nada disso adianta. A depressão — o sentimento de vazio, autoestranhamento, falta de sentido da existência — estará por perto quando a droga da grandiosidade deixar de existir, quando deixarem de estar no topo, de ser celebridades, ou quando sentirem que falharam em algum ideal colocado para si mesmas. Passarão, então, a ser acometidas por medos ou por um profundo sentimento de culpa ou vergonha. Quais são os motivos de tamanho desequilíbrio nessas pessoas bem-dotadas?

Já na primeira consulta, contam que tiveram pais compreensivos, ou pelo menos um deles, e que, se lhes faltou compreensão dos outros, foi porque não conseguiram se expressar direito. Dessa forma, trazem suas primeiras lembranças sem qualquer compaixão pela criança que um dia foram, o que fica tanto mais evidente quanto maior sua capacidade de introspecção e empatia por outras pessoas. Mas o relacionamento com o mundo dos sentimentos de sua infância é caracterizado por falta de respeito, necessidade de controle, manipulação e pressão por resultados. Não é raro encontrar aí desdém e ironia, chegando até mesmo à zombaria e ao cinismo. Em geral, há também uma total ausência de compreensão e de percepção emocional das adversidades da própria infância, bem como uma ignorância das próprias e reais necessidades, ao contrário das pressões por resultados. A repressão do drama original foi tão bem-sucedida que a ilusão da boa infância pôde ser salva.

Para descrever o clima emocional de uma infância caracterizada dessa forma, gostaria de expor alguns pressupostos:

1 A criança, desde o nascimento, tem uma necessidade primordial de ser considerada e levada a sério em todos os seus aspectos.

2 "Em todos os seus aspectos" engloba: *os sentimentos, as sensações e suas manifestações,* desde recém-nascida.

3 Numa atmosfera de *atenção e tolerância aos sentimentos da criança,* esta pode romper a simbiose com a mãe na fase da separação e caminhar rumo à autonomia.

4 Para que essas precondições ao desenvolvimento saudável sejam satisfeitas, é preciso que os pais também tenham sido criados numa atmosfera parecida. Esses pais transmitiriam ao filho o sentimento de segurança e aconchego que lhe permita desenvolver autoconfiança.

5 Pais que não tiveram essa atmosfera são *carentes,* isto é, durante toda a vida procuram o que seus próprios pais não lhes puderam dar no *tempo certo:* alguém que os aceite, os compreenda e os leve a sério.

6 Essa procura nunca pode ter sucesso, pois se refere a uma *situação passada*: a primeira infância, isto é, os primeiros anos após o nascimento.

7 Uma pessoa que carrega uma necessidade não satisfeita e *inconsciente* — porque reprimida — será pressionada a supri-la de alguma outra maneira enquanto não tiver conhecimento da história reprimida de sua vida.

8 Os mais eficazes para suprir essa carência são os *próprios filhos.* Um recém-nascido ou criança pequena é completamente dependente de seus pais. E, como sua existência depende da atenção deles, fará tudo para não perdê-los. Usará de todos os seus recursos, desde o primeiro dia, como uma plantinha que se vira ao sol para sobreviver.

No decorrer dos meus 20 anos de atuação como terapeuta, fui constantemente confrontada com uma história infantil que me parece característica de pessoas que exercem profissões de ajuda ao próximo:

1 Sempre havia uma *mãe profundamente insegura emocionalmente*, cujo equilíbrio emocional dependia de um comportamento ou modo de ser específico do filho. Essa insegurança podia estar escondida da criança e de todas as outras pessoas ao seu redor, atrás de uma fachada dura, autoritária e até mesmo totalitária.

2 A isso, somava-se uma incrível *capacidade do filho* de perceber e responder intuitivamente a essa necessidade da mãe ou de ambos os pais, isto é, de entrar no papel que lhe era confiado de maneira inconsciente.

3 Dessa forma, o filho assegurava o "amor" dos pais. Sentia que necessitavam dele e essa necessidade lhe garantia alguma segurança existencial.

4 A capacidade de adaptação é ampliada e aperfeiçoada, e essas crianças, mais tarde, se tornarão mais do que mães (confidentes, consoladoras, orientadoras, apoios) da própria mãe; irão se responsabilizar também pelos irmãozinhos, desenvolvendo *uma sensibilidade muito especial para os sinais inconscientes das necessidades de outras pessoas*. Não é de estranhar que, no futuro, com certa frequência, escolham a carreira de psicoterapeutas. Quem mais, sem essa história prévia, se interessaria por passar o dia todo tentando descobrir o que se passa no inconsciente dos outros? Mas, no aprendizado e na formação dessa sensibilidade especial — que um dia ajudaram a criança a sobreviver e agora capacitam o adulto a professar a sua estranha profissão —, estão também as raízes do *transtorno*. E, na medida em que o terapeuta não está consciente de sua repressão, pode ser compelido a usar seus pacientes, que dele dependem, para satisfazer suas necessidades não satisfeitas na infância.

O MUNDO PERDIDO
DOS SENTIMENTOS

A adaptação precoce do bebê leva à repressão das necessidades que a criança tem de amor, atenção, empatia, compreensão, participação. O mesmo se pode dizer das reações emocionais diante de falhas consideradas graves, o que faz que determinados sentimentos (como ciúme, inveja, raiva, abandono, impotência, medo) não sejam permitidos nem na infância nem na idade adulta. É ainda mais trágico quando falamos de pessoas cheias de vivacidade e capazes de sentimentos profundos. Podemos perceber isso quando elas descrevem vivências de sua infância nas quais não havia medo nem sofrimento. Trata-se, em geral, de experiências com a natureza, quando podiam sentir sem ferir os pais nem deixá-los inseguros, diminuir seu poder ou ameaçar seu equilíbrio. Mas é muito estranho que essas crianças incrivelmente atentas e sensíveis, que se recordam exatamente de como, por exemplo, com 4 anos de idade descobriram a luz do sol no brilho da grama, aos 8 anos "não notaram nada" nem mostraram curiosidade ao ver a mãe grávida; "não sentiram o menor ciúme" pelo nascimento de um irmão; e, com 2 anos de idade, permaneceram sem chorar e "muito comportadas" enquanto militares invadiam e vasculhavam sua casa durante o período de ocupação. Essas pessoas desenvolveram toda uma técnica para manter os sentimentos longe de si, pois uma criança só pode vivenciá-los na companhia de alguém que a apoie, a entenda e a aceite plenamente. Quando esse alguém não está presente, quando a criança tem de arriscar perder o amor da mãe ou de sua substituta, ela não consegue vivenciar, secretamente, "só para si", nem mesmo as reações emocionais mais naturais, tendo de reprimi-las. Mas estas ficam armazenadas em seu corpo como informações.

Bem mais tarde, esses sentimentos poderão ser revividos como vagas lembranças do passado, mas sem que o contexto original seja compreendido. Só é possível decifrá-las quando se consegue fazer a relação entre a situação original e os intensos sentimentos despertados no presente. Os novos métodos de terapias reveladoras partem desse pressuposto e possibilitam seu aproveitamento positivo.

Tomemos, por exemplo, o sentimento de abandono. Não o sentimento de um adulto que se sente só e, por isso, toma remédios, se droga, vai ao cinema, visita conhecidos, dá telefonemas inúteis a fim de superar, de alguma forma, o vazio. Penso no sentimento original da criança pequena, que não tem todas essas possibilidades de distração e cujos recados, verbais ou não verbais, não são entendidos pelos pais. Não porque os pais fossem terrivelmente maus, mas porque eles mesmos estavam muito carentes de uma resposta específica e indispensável da criança; no fundo, eram também crianças em busca de alguém que estivesse à disposição. Por mais paradoxal que possa soar, *uma criança está à disposição*. Ela não pode escapar de nós como nossa mãe escapou. Podemos educar um filho *para que ele se torne o que gostaríamos que fosse*. Podemos usar o filho para ganharmos respeito, para confiarmos a ele nossos próprios sentimentos, para nos espelharmos em seu amor e deslumbramento, para nos sentirmos fortes a seu lado. Podemos pedir que um estranho cuide dele caso estejamos cansados. Sentimo-nos, enfim, no centro das atenções, pois os olhinhos da criança perseguem a mãe incessantemente. Se uma mulher, quando criança, precisou sufocar e reprimir todas essas necessidades em relação à mãe, ao ter seu próprio filho, por mais instruída que seja, essas necessidades serão despertadas das profundezas de seu inconsciente em busca de satisfação. A criança percebe a situação claramente e, muito cedo, desiste de expressar suas próprias angústias.

Porém, quando, no decurso da terapia, os sentimentos de abandono de outrora afloram nos adultos, são acompanhados de uma dor e um desespero tão intensos que fica evidente que essas pessoas não teriam sobrevivido a tanta dor. Para isso, teria sido necessária uma companhia empática, que as acompanhasse, o que não aconteceu. Dessa forma, tudo precisou ser reprimido. Mas negar a existência dos fatos passados é negar as evidências empíricas.

Muitos mecanismos integram, por exemplo, o bloqueio dos sentimentos precoces de abandono. Ao lado da simples negação encontramos quase sempre a luta incessante, incansável, que, com a ajuda de símbolos (drogas, grupos, cultos de todo tipo, perversões), tenta alcançar a satisfação das necessidades reprimidas, agora já pervertidas. As intelectualizações também estão presentes, por propiciarem uma defesa muito confiável, embora possam ter efeitos fatídicos se o corpo tomar as rédeas — como é o caso nas doenças graves, conforme minhas explicações sobre a doença de Nietzsche em *Gemiedenen Schlüssel* [A chave perdida], de 1988, e *Abbruch der Schweigemauer* [Rompendo o muro do silêncio], de 1990.

Todos esses mecanismos de defesa são seguidos da repressão da situação original e dos sentimentos que a acompanhavam.

A acomodação às necessidades dos pais, em geral (mas não sempre), leva ao desenvolvimento da "personalidade como se", ou ao chamado falso *self*. A pessoa desenvolve uma postura na qual só mostra o que é esperado dela, fundindo-se com essa imagem. O verdadeiro *self* não consegue se desenvolver e se diferenciar, porque não pode ser vivido. Compreensivelmente, essas pessoas reclamam de sentimentos de vazio, falta de sentido, desenraizamento — pois esse vazio é real. Aconteceu um esvaziamento, um empobrecimento, uma morte parcial das possibilidades. A integridade da criança foi abalada, arrancando-lhe a vivacidade, a espontaneidade. Essas crianças, às vezes, têm sonhos nos quais estão semimortas. Gostaria de citar dois desses sonhos:

> Meus irmãos mais novos estão parados sobre uma ponte e arremessaram uma caixa no rio. Sei que eu jazia nela, morta, mas sentia o meu coração bater; nesse instante, sempre acordava.

Com a "morte" dos próprios sentimentos, desejos e direitos, a partir da formação reativa, esse sonho recorrente conjuga as agressões inconscientes (ciúme e inveja) contra os irmãos menores, dos quais Lisa sempre foi a "mãe" dedicada. Kurt, 27 anos, sonha:

> Vejo uma campina verde, na qual há um ataúde branco. Temo que minha mãe esteja nele, mas abro a tampa e, felizmente, vejo que não era ela, e sim eu mesmo.

Se, quando criança, Kurt tivesse tido a possibilidade de expressar seu desapontamento com a mãe, isto é, de vivenciar sentimentos de raiva e ódio, poderia ter permanecido vivo. Mas isso o teria levado a perder o amor da mãe, o que é o mesmo que a morte para uma criança. A fim de preservar a mãe, ele "matou" sua raiva e, com ela, uma parte de si mesmo.

A dificuldade de vivenciar e desenvolver os próprios sentimentos genuínos leva a uma *permanência do vínculo* que não permite a individuação. Os próprios pais encontram no falso *self* do filho a confirmação que buscavam, um substituto para sua própria estrutura inexistente; a criança, incapaz de construir sua própria estrutura, é dependente dos pais, primeiro de maneira consciente, depois inconsciente. A criança não pode confiar nos próprios sentimentos, não chegou a experimentá-los, não conhece suas reais necessidades, é um completo *estranho* para si mesma. Nessas circunstâncias, não pode se separar dos pais, e mesmo na vida adulta dependerá sempre da aceitação de pessoas que representam seus pais: parceiros, grupos e, *em especial,* os próprios filhos. O legado dos pais são as lembranças inconscientes, reprimidas, que nos impelem a esconder o verdadeiro *self* de nós mesmos muito profundamente. À solidão no lar dos pais, segue-se, mais tarde, o *isolamento* dentro de nós mesmos.

A PROCURA DO
VERDADEIRO *SELF*

Como a psicoterapia pode ser útil nesse caso? Ela não consegue nos devolver a infância perdida, modificar os fatos ou revertê-los. Não é possível curar feridas com o auxílio de ilusões. O paraíso da harmonia pré-ambivalente, tão esperado por muitos pacientes, é inatingível. Mas a experimentação da própria verdade e seu conhecimento pós-ambivalente torna possível um retorno ao mundo dos próprios sentimentos, em um nível adulto — sem paraíso, mas com capacidade de luto, o que nos devolve a vitalidade.

Um dos momentos cruciais da terapia é quando as pessoas chegam ao *insight* emocional de que todo "amor" que conquistaram com tanto esforço e autonegação não era dirigido a elas como realmente eram; de que a admiração por sua beleza e seus feitos era dirigida à beleza e aos feitos, não às próprias crianças. Na terapia, a criancinha solitária, oculta por suas realizações, desperta e pergunta: "O que teria acontecido se eu tivesse me mostrado malvada, feia, raivosa, ciumenta diante de vocês? Onde estaria o seu amor? E eu era todas essas coisas também. Isso quer dizer que, na verdade, a criança amada não fui eu, mas sim aquela que eu aparentava ser? A criança bem-comportada, confiável, empática, compreensiva, conveniente, que, no fundo, nunca foi realmente uma criança? O que foi feito da minha infância? Jamais poderei voltar no tempo. Não poderei repeti-la. Desde o começo, fui um pequeno adulto. Minhas habilidades simplesmente foram desperdiçadas?"

Essas perguntas são acompanhadas de muita mágoa e muita dor, antiga, reprimida, mas o resultado é sempre uma nova autoridade interna se estabelecendo (como uma herança da mãe que jamais existiu), uma nova empatia pelo próprio destino, nascida na consternação do luto. Numa dessas fases, um paciente sonhou que 30 anos antes havia matado uma criança e ninguém o ajudara a salvá-la. (Trinta anos antes, as pessoas ao seu redor notaram que aquela criança se tornara totalmente reservada, polida, obediente e não demonstrava mais qualquer reação emocional.)

Dessa forma, descobrimos que o verdadeiro *self*, após décadas de silêncio, pode, com a recém-conquistada habilidade para sentir, despertar para a vida.

As manifestações do verdadeiro *self* deixam de ser menosprezadas, de ser motivo de riso ou zombarias, mesmo que inconscientemente o paciente ainda passe por cima delas ou as ignore. Seus pais usaram da mesma sutileza para lidar com o filho quando ele ainda não sabia expressar suas necessidades com palavras. Mesmo já crescida, essa criança não podia dizer nem sequer pensar: "Posso ser feliz ou triste sempre que algo me faça feliz ou triste, mas não preciso parecer alegre para ninguém e não preciso reprimir minha aflição, meu medo ou outros sentimentos para corresponder às necessidades de outras pessoas. Posso ficar bravo e ninguém vai morrer ou ter dor de cabeça por causa disso. Posso ter um acesso de raiva quando meus pais me machucarem sem correr o risco de perdê-los".

Tão logo o adulto consegue levar a sério seus sentimentos atuais, começa a perceber como os tratava no passado, bem como as suas necessidades, e que essa era sua única forma de sobrevivência. Sente-se aliviado ao tomar consciência das coisas que costumava abafar. Percebe, cada vez mais claramente, como ele próprio, a fim de se proteger, continua a tratar seus sentimentos com ironia e ridicularizações, tentando negá-los, depreciá-los ou tomar conhecimento deles apenas dali a vários dias, quando já tiverem passado. Pouco a pouco, o próprio paciente percebe como é forçado a se distrair quando está sensibilizado, perturbado ou triste. (Quando a mãe de uma criança de 6 anos morreu, sua tia lhe disse: "Você precisa ser valente; não chore; vá já para o seu quarto brincar".) Em muitas situações, ele ainda se vê do modo como as outras pessoas o veem, perguntando-se constantemente que tipo de impressão está causando, como deveria ser agora, que sentimentos deveria sentir. No todo, porém, o paciente se sente um pouco mais livre.

Uma vez iniciado, o processo natural da terapia continua. O paciente começa a se articular, rompe com sua docilidade, mas, devido à infância, não consegue acreditar que isso seja possível sem colocar a vida em perigo. A partir de suas lembranças, ao lutar por seus direitos, ele espera e teme ser descartado, repelido, punido, vivenciando a cada vez a libertação de ter suportado o risco, mantendo-se fiel a si mesmo. O início pode ocorrer de forma muito inofensiva. Somos surpreendidos por sentimentos que gostaríamos de evitar, mas é tarde, a consciência das próprias emoções já surgiu e não há volta. E, a partir de agora, a criança que tinha sido intimidada e levada ao silêncio pode vivenciar a si mesma como jamais pensara ser possível.

Aquele paciente que até então não exigia nada e satisfazia incansavelmente as exigências dos outros subitamente fica irado porque o terapeuta vai tirar férias "de novo". Ou se irrita ao ver gente nova no consultório. O que aconteceu? Não é ciúme. Ele não conhece esse sentimento. Mas... "O que querem essas pessoas? Há outros pacientes além de mim?" Até o momento, ele não havia se apercebido disso. Só as outras pessoas podem ter ciúmes, ele não. E, agora, os sentimentos genuínos revelam-se mais fortes do que os mandamentos da boa educação. Felizmente. Mas não é fácil reconhecer os verdadeiros motivos da raiva. Às vezes essa raiva se dirige, num primeiro momento, aos próprios filhos ou a quem quer nos ajudar, por exemplo, os terapeutas. São pessoas que nos causam pouco medo e desencadeiam a raiva, apesar de não serem o motivo dela.

No início, é muito doloroso perceber que não se é sempre bom, compreensivo, tolerante e controlado mas, acima de tudo, sem exigências quando a autoestima estava baseada nessas características. Mas, se queremos realmente nos ajudar, precisamos sair dessa construção autoenganosa. Não somos sempre tão culpados quanto imaginamos nem tão inocentes quanto gostaríamos de imaginar. Mas não saberemos disso enquanto estivermos confusos e não experimentarmos nossos sentimentos, enquanto não conhecermos exatamente a nossa história. O confronto com a própria realidade, entretanto, ajuda a desfazer as ilusões que impedem de ver o passado e enxergar com maior clareza. Ao descobrirmos nossas faltas reais no presente, precisamos nos desculpar com suas vítimas. Isso nos liberta: resolve os sentimentos de culpa da infância, inconscientes e equivocados. Pois não éramos os culpados pelas atrocidades recebidas, ainda que nos sentíssemos responsáveis.

Esse sentimento de culpa persistente, devastador e irreal só pode ser trabalhado se, no presente, não o mantivermos à distância por meio de uma falta nova e real.

Muitas pessoas repetem com outras as atrocidades que sofreram, mantendo assim a imagem idealizada dos pais. No fundo, permanecem crianças pequenas, dependentes, mesmo em idade avançada. Elas não sabem que seriam mais autênticas e leais consigo e com os outros se permitissem que antigos sentimentos da infância aflorassem.

Quanto mais somos capazes de admitir e experienciar esses sentimentos precoces, mais fortes e coerentes nos sentimos. Dessa forma, podemos nos expor a emoções que emergem da mais tenra infância e experienciar o desamparo de outrora, o que, por sua vez, reforça nossa segurança. Há uma grande diferença entre ter sentimentos ambivalentes em relação a alguém na vida adulta e, depois de trabalhar muito com a própria história, repentinamente sentir-se como uma criança de 2 anos que está sendo alimentada pela empregada, na cozinha, pensando em desespero: "Por que minha mãe sai toda noite? Por que não sente prazer em estar comigo? O que há de errado comigo para ela preferir ir ao encontro de outras pessoas? O que posso fazer para que ela fique em casa? Ela não quer que eu chore... não quer que eu chore".

Aos 2 anos de idade, a criança não poderia ter pensado com essas palavras, mas agora, como paciente, é ambas as coisas: um adulto e uma criança, e pode chorar livremente. Não apenas um choro catártico, mas a integração das lembranças da mãe, que até então havia negado. Nas sessões seguintes, esse paciente expressou uma raiva torturante da mãe, uma pediatra de sucesso, que não fora capaz de manter continuidade em seu relacionamento com o filho. Ele se referia a ela assim: "Eu detesto esses monstrinhos eternamente doentes, que sempre tiraram você de mim, mãe. Eu te detesto, porque você preferia estar com eles a estar comigo". Aqui, misturam-se os sentimentos de desamparo e de raiva, havia muito represada, pela mãe não disponível. Graças à experimentação, à clareza e à justificativa dos fortes sentimentos, o paciente pôde se livrar de sintomas de difícil compreensão que o assolavam fazia tempo. Seu relacionamento com as mulheres deixou de ser uma disputa pelo poder, e a compulsão por conquistar e abandonar foi desaparecendo.

Todos os sentimentos de desamparo, de raiva e de estar à mercê do objeto amado são experienciados na terapia com uma intensidade inimaginável no passado. Aos poucos, eles abrem a porta para as lembranças reprimidas. Só podemos nos lembrar de algo que vivenciamos conscientemente. Mas o mundo emocional de uma criança lesada em sua integridade já é o resultado de uma seleção que deixou o principal de lado. Somente na terapia esses sentimentos prematuros, acompanhados da dor da criança por não ser compreendida, são *experimentados pela primeira vez conscientemente*. É quase sempre um milagre ver quanta individualidade sobreviveu a tanta dissimulação, negação e autoalienação, podendo vir à tona quando o acesso aos sentimentos é encontrado. Não obstante, seria falso afirmar que há um verdadeiro *self*, plenamente desenvolvido, escondido sob o falso *self*. A criança *não sabe* o que está escondendo. Nas palavras de Kurt: "Eu vivia numa casa de vidro, e mamãe podia me ver a toda hora. Não é possível esconder nada numa casa de vidro, a não ser que se enterre a coisa, mas aí nem você pode ver o que escondeu".

Um adulto só pode vivenciar seus sentimentos se, na infância, contou com pais (ou seus substitutos) dedicados. Estes não estavam presentes na infância de pessoas maltratadas, que, por essa razão, jamais serão surpreendidas por emoções inesperadas, admitindo somente os sentimentos aceitos e aprovados pelo seu censor interno, herança dos pais. A depressão e o sentimento de vazio interior é o preço a ser pago por esse controle. O *self* verdadeiro não pode se comunicar, estagnou-se na sua prisão interior, inconsciente, e, portanto, não desenvolvido. O convívio com os carcereiros não facilita um desenvolvimento vívido. Apenas depois da libertação, o *self* começa a se articular, crescer e desenvolver sua criatividade. E, onde havia somente o temível vazio ou as igualmente temíveis fantasias grandiosas, abre-se um inesperado reino de saúde e vitalidade. Não é uma volta ao lar, pois este nunca existiu. É a descoberta do lar.

A SITUAÇÃO DO PSICOTERAPEUTA

Com frequência, ouvimos dizer que o psicoterapeuta sofre de um transtorno emocional. Minhas colocações até aqui pretendem deixar claro até que ponto é possível sustentar essa afirmação com fatos efetivamente comprovados. Sua sensibilidade, sua capacidade empática, suas muitas "antenas" indicam que, quando criança, fora usado — se não abusado — por pessoas com necessidades narcísicas.

Naturalmente, há a possibilidade teórica de uma criança ter crescido com pais que não tinham necessidade desse abuso, isto é, que a viam como realmente era, que a compreendiam, tolerando e respeitando seus sentimentos. Essa criança teria desenvolvido uma autoestima saudável. Mas dificilmente se poderia supor que essa criança:

1 escolheria mais tarde a profissão de psicoterapeuta;
2 formaria e desenvolveria uma sensibilidade específica para perceber os outros, como o fazem as crianças "usadas";
3 entenderia suficientemente — *com base em sua própria experiência* — o que significa ter "traído" seu *self*.

Dessa forma, creio que foi exatamente nosso destino que nos habilitou a exercer a profissão de psicoterapeuta, mas apenas com a condição de que, em nossa própria terapia, tenhamos a possibilidade de viver com a verdade de nosso passado e abdicar de nossas ilusões maiores. Isso significa suportar saber que fomos compelidos a gratificar as necessidades inconscientes de nossos pais à custa de nossa própria autorrealização, a fim de não perdermos o pouco que tínhamos. Significa, ainda, ser capazes de experimentar a revolta e a mágoa pela *não disponibilidade de nossos pais para nossas necessidades primárias.* Se nunca tivéssemos experienciado esse desespero e a raiva decorrente dele e, por conseguinte, nunca tivéssemos trabalhado esses sentimentos, estaríamos correndo o risco de transferir essa situação inconsciente de nossa infância para os pacientes. E ninguém se surpreenderia se necessidades profundamente reprimidas, inconscientes, impelissem o terapeuta a fazer uma pessoa mais fraca tomar o lugar de seus pais não disponíveis. Isso pode acontecer com maior facilidade com os próprios filhos, com subordinados ou com pacientes, que, às vezes, são tão dependentes do terapeuta quanto os filhos o são de seus pais.

Um paciente com "antenas ligadas" no inconsciente do terapeuta reagirá prontamente. Ele se "sentirá" autônomo e se comportará dessa maneira se perceber que para o terapeuta é importante ter pacientes que logo se tornam independentes e que demonstram autoconfiança. Isso está ao seu alcance; ele consegue fazer tudo que esperam dele. Mas essa "autonomia" desembocará numa depressão, pois não é genuína. A verdadeira autonomia é precedida pela experiência da dependência. A verdadeira libertação encontra-se *além* do profundo sentimento de ambivalência da *dependência infantil.* O paciente satisfaz os desejos de aprovação, eco, compreensão e respeito do terapeuta ao trazer "material" que se encaixe no seu conhecimento, nos seus conceitos e, consequentemente, nas suas expectativas. Dessa forma, o terapeuta exerce a mesma *manipulação inconsciente* à qual foi exposto quando criança. Talvez ele já tenha percebido as manipulações conscientes e, há muito, tenha se livrado delas. Aprendeu também a expor e defender seus pontos de vista. Mas a manipulação inconsciente nunca é percebida por uma criança. Ela é como o ar que respira; não conhece outra forma de se relacionar e, assim, essa parece ser a única possível.

O que acontece quando nós, já adultos, terapeutas, não reconhecemos a perigosa qualidade desse ar? Nós o dissipamos entre as outras pessoas, garantindo-lhes que estamos fazendo isso para o bem delas.

Quanto mais me envolvo na manipulação inconsciente das crianças pelos pais e dos pacientes pelos terapeutas, mais creio ser urgente acabar com a repressão. Não apenas como pais, mas também como terapeutas, precisamos conhecer nosso passado emocional. Precisamos aprender a experienciar nossos sentimentos infantis e entendê-los, para não termos mais necessidade de manipular inconscientemente os pacientes com nossas teorias e permitirmos que se tornem o que realmente são. Somente a dolorosa vivência e aceitação da própria verdade nos liberta da esperança de ainda encontrar pais compreensivos e empáticos — talvez, na figura dos pacientes — e, partindo de interpretações inteligentes, torná-los disponíveis.

Não devemos menosprezar essa tentação. Nunca ou quase nunca nossos pais nos ouviram com atenção, da maneira como os pacientes geralmente fazem, e jamais nos revelaram seu mundo interior de forma tão clara e honesta. Entretanto, o trabalho incessante de assumir o luto por essa perda pode nos ajudar a não cair nessa ilusão. Pais como os que um dia necessitamos tão prementemente — empáticos e abertos, compreensivos e compreensíveis, disponíveis e utilizáveis, transparentes, claros, sem contradições ininteligíveis, sem rol de pré-requisitos amedrontadores —, nunca tivemos. Uma mãe só é capaz de ser empática na medida em que se liberta da própria infância; quando nega as vicissitudes de seus primeiros anos de vida, carrega grilhões invisíveis. Isso também vale para o pai.

O que existe são crianças inteligentes, alertas, atentas, extremamente sensíveis e (por estarem totalmente sintonizadas com o conforto dos pais) disponíveis, utilizáveis e, sobretudo, transparentes, claras, previsíveis, manipuláveis — enquanto seu verdadeiro *self* (seu mundo emocional) permanece no porão escuro da casa transparente na qual têm de viver... até a puberdade e, não raro, até que elas mesmas tenham filhos.

Robert, 31 anos, quando criança não podia ficar triste nem chorar sem perceber que tornava sua amada mãe infeliz e profundamente insegura, pois "jovialidade" foi a característica que a salvara quando menina. As lágrimas dos filhos ameaçavam seu equilíbrio. Mas a criança extremamente sensível percebeu, dentro de si, a totalidade do abismo reprimido da mãe, que estivera num campo de concentração quando criança e jamais falara sobre isso. Somente quando o filho, já crescido, perguntou-lhe diretamente a respeito, ela disse que havia sido uma das 80 crianças que assistiram à ida dos próprios pais para a câmara de gás. Nenhuma das crianças tinha chorado!

Durante toda a infância, o filho tentou ser afável. Só podia expressar seu verdadeiro *self*, seus sentimentos e inclinações em perversões obsessivas, das quais — até o início da terapia — se envergonhava; ele as estranhava, não as compreendia.

Somos totalmente indefesos contra essa espécie de manipulação na infância. É dramático que também os pais fiquem à mercê dessa atitude enquanto se negarem a olhar para a própria história. Enquanto a repressão continuar existindo, a tragédia da infância dos pais será perpetuada, inconscientemente, nos filhos.

Outro exemplo pode ilustrar o fato de maneira mais clara: Um pai que, quando criança, frequentemente se assustava com os ataques de ansiedade da mãe durante as crises esquizofrênicas, sem jamais ter recebido uma explicação a respeito, gostava de contar histórias de terror à amada filhinha. Ria dos medos da menina, para depois confortá-la dizendo: "É apenas uma história de faz de conta, você não precisa ter medo, você está aqui comigo". Dessa forma, conseguia manipular o medo da criança, sentindo-se forte. Seu desejo consciente era o de dar algo bom à filha, algo que não tinha tido: conforto, proteção, explicações. Mas o que ele lhe transmitia, inconscientemente, era o medo de sua infância, a expectativa de uma desgraça e a questão incompreendida (também de sua infância): por que a pessoa que amo me traz tanto medo?

Provavelmente, todas as pessoas têm uma câmara em seu interior, mais ou menos escondida, na qual se encontram os elementos de seus dramas de infância. Os únicos que certamente terão acesso a essa câmara serão seus filhos. Eles trazem vida nova para o lugar, e a história pode continuar. Quando criança, o detentor da câmara não podia brincar livremente com o que ela continha, seu papel fundiu-se à sua vida. Não foi possível levar qualquer recordação daquele "jogo" para a vida adulta — a não ser com a ajuda da terapia, na qual esse papel poderia ser questionado. Os elementos de seus dramas podem ter assustado a criança; ela não conseguia relacioná-los com a lembrança consciente de sua mãe ou de seu pai. Por isso, a criança desenvolveu sintomas. O adulto pode resolver esses sintomas na terapia quando os sentimentos que se escondem atrás deles emergem à consciência: sentimentos de decepção, desespero, rebeldia, desconfiança e raiva.

Os pacientes não estão protegidos contra manipulações por parte do terapeuta. Nenhum terapeuta está livre, para todo o sempre, de manipular inconscientemente. Mas, ao descobrir qualquer manipulação, o paciente tem duas possibilidades: mostrá-la ao terapeuta ou interromper as consultas, caso o profissional permaneça alheio ao problema, insistindo em sua infalibilidade. Minhas indicações não eximem ninguém da tarefa de questionar continuamente tanto esses métodos quanto os terapeutas que os utilizam.

Quanto melhor reconhecermos nossa história de vida, melhor poderemos identificar as manipulações, onde quer que se encontrem. É a nossa infância que, com frequência, impede essa identificação. Nosso desejo antigo, não completamente realizado, de pais bons, honestos, inteligentes, conscientes e corajosos pode nos seduzir a ponto de não enxergarmos a desonestidade ou a inconsciência dos terapeutas. Corremos o risco de tolerar manipulações por muito tempo, caso o terapeuta desonesto tenha uma ótima desenvoltura verbal e se apresente como grande autoridade. Quando a ilusão corresponde a nossas necessidades e urgências, tardamos mais em reconhecê-la. Mas, enquanto estivermos em pleno domínio de nossos sentimentos, cedo ou tarde também essa ilusão precisará ser enterrada para o bem da verdade que traz a cura.

O CÉREBRO DOURADO

No livro *Lettres de Mon Moulin* [*Cartas do meu moinho*], de Alphonse Daudet, encontrei um conto que pode soar um tanto bizarro, mas que tem muito em comum com o que apresentei. Para concluir este capítulo sobre a criança explorada, gostaria de reproduzir resumidamente seu conteúdo:

Era uma vez um menino que tinha um cérebro dourado. Seus pais só descobriram por acaso, quando ele machucou a cabeça e, em vez de sangue, fluiu um pouco de ouro. A partir de então, começaram a cuidar dele, proibindo-o do convívio com outras crianças para que não fosse roubado. O garoto cresceu e, quando quis sair pelo mundo, sua mãe lhe disse: "Fizemos tanto por você, devemos, pois, compartilhar de sua riqueza". O garoto tirou uma barra de ouro de seu cérebro e a deu para a mãe. Ele viveu na luxúria em companhia de um amigo, até que este o furtou e fugiu.

A partir de então, já homem, decidiu guardar seu segredo e começar a trabalhar, pois suas reservas diminuíam visivelmente. Um dia, apaixonou-se por uma linda moça, que o amava, como também amava os belos vestidos que recebia dele em quantidade. Ele se casou com ela e foi muito feliz, mas depois de dois anos ela morreu, e ele gastou o resto de sua fortuna no funeral, que deveria ser soberbo.

Certa vez, arrastando-se pelas ruas, fraco, pobre e infeliz, viu numa vitrine lindas botinhas que teriam servido perfeitamente em sua mulher. Esquecendo-se de que ela já não estava viva — talvez porque seu cérebro, esvaziado, tivesse deixado de funcionar —, entrou na loja para comprar as botinhas. Naquele exato momento, ele caiu e o vendedor viu um morto que jazia no chão.

Daudet, que viria ele mesmo a morrer de uma doença na coluna, escreveu no final dessa história:

Essa história parece inventada, mas é verídica do princípio ao fim. Há pessoas que precisam pagar, inclusive pelas mínimas coisas da vida, com sua substância e sua coluna vertebral. Esta é uma dor recorrente e, depois, quando estão cansadas de sofrer...

Não pertence o amor materno à categoria das "mínimas" e indispensáveis coisas da vida, pelas quais, paradoxalmente, muitas pessoas precisam pagar com a renúncia à própria vida?

DEPRESSÃO E GRANDIOSIDADE: DUAS FORMAS DE NEGAÇÃO

DESTINOS DAS NECESSIDADES INFANTIS

Toda criança tem a legítima necessidade de ser notada, compreendida, levada a sério e respeitada pela mãe. Nas primeiras semanas e meses de vida, necessita ter a mãe à disposição, usá-la e espelhar-se nela. Isso é magnificamente ilustrado por uma imagem de Winnicott: a mãe olha para o bebê que segura nos braços, o bebê contempla a face da mãe e, nela, encontra a si mesmo... desde que a mãe realmente esteja olhando para esse ser pequenino, único, indefeso, e não projetando suas expectativas, seus medos e os planos que fez para o filho. Pois, senão, a criança não encontrará a si mesma na face da mãe, mas sim as necessidades da mãe. Ficará sem seu espelho, que procurará em vão por toda a vida.

O DESENVOLVIMENTO SAUDÁVEL

Para que uma mãe consiga dar ao filho algo indispensável para o resto da vida, é absolutamente necessário que ela não seja separada do recém-nascido. A enxurrada de hormônios que desperta e "alimenta" o instinto maternal acontece logo depois do parto, continuando pelos próximos dias e semanas, graças à crescente intimidade com o filho. Se o bebê é separado da mãe — como era usual até pouco tempo atrás na maioria das maternidades e continua ocorrendo no mundo inteiro por comodidade e ignorância —, perde-se a grande chance para mãe e filho.

O *bonding* (contato visual e de pele) entre a mãe e o bebê logo após o parto transmite a ambos o sentimento de pertencimento mútuo, de união — sentimento que, natural e idealmente, deve estar presente desde a concepção, crescendo junto com o feto. Ele dá à criança o aconchego e a segurança necessários para confiar na mãe. Além disso, transmite à mãe uma segurança instintiva que a ajuda a entender e responder aos sinais do bebê. Essa primeira confiança mútua nunca mais poderá ser revivida, e sua ausência pode impossibilitar muitas coisas desde o início.

O reconhecimento científico da importância fundamental do *bonding* ainda é muito recente.[1] Esperamos, porém, que não apenas os profissionais das maternidades tomem conhecimento dessa prática, mas também os de hospitais em geral, a fim de que logo todas as pessoas possam aproveitar-se dela. Uma mãe que sente o *bonding* com o filho está menos propensa a maltratá-lo e deveria conseguir protegê-lo melhor de maus-tratos por parte do pai.

Mas uma mãe que, em decorrência de sua própria história reprimida, não experimentou o *bonding* com o filho mais tarde poderá ajudá-lo a superar essa falta se, com o apoio da terapia e da liberação de sua repressão, souber o que ela significa. Poderá, ainda, sanar as consequências de um parto difícil se lhes der a devida importância e estiver consciente de que uma criança gravemente traumatizada no início da vida precisa de muita atenção e presença para superar o medo que essas experiências provocaram.

Se uma criança tem a sorte de crescer com uma mãe que a espelhe, que esteja à sua disposição — isto é, que se

---

1. Entre os vários livros informativos sobre esse tema (Janus, Leboyer, Odent, Stern), creio que o mais útil para os casais que esperam a chegada do bebê é o de Desmond Morris, *Babywatching* (Londres: Jonathan Cape, 1991).

permita "ser usada" em função do seu desenvolvimento —, ela poderá, então, desenvolver um sentimento saudável de si mesma. A mãe ideal é aquela que proporciona também um clima alegre e afetuoso, compreendendo as necessidades da criança. Mesmo uma mãe não especialmente calorosa pode possibilitar esse desenvolvimento se apenas não o impedir. Dessa forma, a criança pode buscar em outras pessoas o que falta em sua mãe. Várias pesquisas mostram essa incrível capacidade que a criança tem de aproveitar até mesmo o menor dos "alimentos" afetivos que encontra como estímulo em seu ambiente.

Por sentimento saudável de si mesmo entendo a certeza inabalável de que os sentimentos e as necessidades que se experiencia são parte do próprio *self*. Essa certeza não é alcançada pela reflexão; ela existe como os batimentos cardíacos, que não notamos enquanto estão funcionando normalmente. Esse contato natural com os próprios sentimentos e necessidades proporciona equilíbrio e autoestima. A pessoa pode viver e expressar seus sentimentos — ficar triste, desesperada ou necessitada de auxílio — sem ter medo de tornar alguém inseguro por isso. Pode se permitir ter medo quando for ameaçada ou ficar brava quando não puder realizar seus desejos. Ela sabe não só o que quer como também o que não quer, e pode expressar-se, independentemente de ser amada ou odiada por isso.

O TRANSTORNO

O que acontece se a mãe não está apta a ajudar o filho? E, se além de não estar em condições de perceber e preencher as necessidades da criança, como é comum, ela própria também for carente? Inconscientemente, ela tentará mitigar as próprias necessidades por intermédio do filho, o que não exclui uma forte ligação afetiva. Porém, nessa relação de conotação aproveitadora, faltam componentes de vital importância para o filho, como segurança, continuidade e constância; e, sobretudo, uma estrutura em que a criança possa vivenciar seus sentimentos e emoções. Assim, a criança desenvolve algo de que a mãe necessita e, embora isso salve sua vida (ao garantir o "amor" da mãe ou do pai) nesse momento, acabará impedindo-a de ser ela mesma. Nesse caso, as necessidades naturais apropriadas para a idade da criança não podem ser integradas, sendo alienadas ou divididas. Essa pessoa, no futuro, viverá no passado sem o saber.

A maioria das pessoas depressivas que me procuravam quase sempre tinha uma mãe extremamente insegura e que, com frequência, sofria de depressão. Os filhos, únicos ou primogênitos, eram vistos como sua propriedade. O que essas mães não tiveram de sua genitora, agora encontravam nos filhos: estar disponíveis, ser usados como eco, ser controlados, estar totalmente centrados na mãe, nunca a abandonar e lhe oferecer plena atenção e admiração. Se a mãe se sentisse sobrecarregada pelas necessidades dos filhos (como sua própria mãe terá se sentido), não estaria mais tão indefesa, não mais se deixaria tiranizar, pois podia criá-los de maneira que não chorassem nem a perturbassem. Finalmente, podia conseguir consideração e respeito ou, ainda, a preocupação por sua vida, por seu conforto, coisa que seus pais lhe ficaram devendo. Um exemplo pode ilustrar isso:

Bárbara, 35 anos, vivenciou na terapia seus medos reprimidos, alguns relacionados com um terrível episódio. Era o dia do aniversário de sua mãe. A menina tinha 10 anos e estava voltando da escola. Chegando em casa, a encontrou no chão da sala, com os olhos fechados. A garota pensou que a mãe estivesse morta e começou a gritar, desesperada. Nesse instante, a mãe abriu os olhos e falou, quase que encantada: "Você me deu o melhor presente, agora sei que alguém me ama". Durante décadas, a consideração pelo drama da infância da mãe impediu Bárbara de perceber que o comportamento dela fora de uma terrível crueldade. Na terapia, pôde reagir adequadamente à situação, com raiva e indignação.

Bárbara, ela mesma mãe de quatro filhos, mal se lembrava da própria mãe, mas se recordava da constante compaixão que sentia. No início, descreveu-a como uma mulher afetuosa e calorosa, que "contava seus problemas", era muito atenciosa com os filhos e se sacrificava pela família. Com frequência, membros da seita da qual participava pediam-lhe conselhos. Bárbara contou ainda que a mãe era especialmente orgulhosa da filha. Agora, a senhora estava velha e frágil, e Bárbara se preocupava com sua saúde, sonhando diversas vezes que algo acontecera à mãe e acordando com bastante medo.

Em decorrência das emoções que foram emergindo, a imagem da mãe se alterou. Principalmente quando lhe vieram lembranças dos ensinamentos higiênicos, Bárbara sentiu sua mãe dominadora, exigente, controladora, manipuladora, má, fria, estúpida, mesquinha, obsessiva, facilmente ofendida, exaltada, falsa. A vivência e a compreensão do ódio represado por tanto tempo trouxeram à filha recordações de infância que realmente apontam para essas características. A partir de então, Bárbara pôde se permitir a descoberta da realidade e foi capaz de checar a legitimidade de sua raiva. Descobriu que a mãe havia sido fria e má com ela ao se sentir insegura. A mãe era ansiosamente preocupada com Bárbara, pois com esse mecanismo conseguia repelir a inveja que sentia dela. Visto que a mãe fora muito humilhada quando criança, precisou ser valorizada pela filha.

Aos poucos, as diferentes imagens da mãe uniram-se numa única imagem de alguém que, pela própria fraqueza, insegurança e fragilidade, tinha colocado a filha à sua disposição. No fundo, a mãe aparentemente tão boa tinha permanecido uma criança em seu relacionamento com a própria filha. Por outro lado, a filha assumiu o papel compreensivo, preocupado, até que descobriu, com os próprios filhos, as necessidades ignoradas dentro de si, que estava tentando suprir.

A ILUSÃO DO AMOR

Gostaria de percorrer agora alguns pensamentos que me foram surgindo ao longo desses anos de atividade profissional. Incluem-se aí também inúmeros encontros breves com pessoas que falaram apenas uma ou duas horas comigo. Nessas breves conversas, surge com clareza especial a tragicidade do destino individual. O que é diagnosticado como depressão e vivenciado como vazio, falta de sentido da vida, medo do empobrecimento e solidão quase sempre se revela, para mim, como perda de si mesmo — mais precisamente, estranhamento de si mesmo, que tem início na infância.

Podemos encontrar diversas mesclas e nuanças desse transtorno. Para maior clareza, tentarei descrever duas formas extremas, que considero uma o reverso da outra: a grandiosidade e a depressão. Por trás da grandiosidade manifesta, oculta-se constantemente a depressão e, por trás dos comportamentos depressivos, suspeitas reprimidas sobre nossa história trágica. De fato, a grandiosidade é a defesa contra a perda de si mesmo, que decorre da negação da realidade.

A GRANDIOSIDADE COMO AUTOENGANAÇÃO

A pessoa "grandiosa" é admirada em todos os lugares e precisa dessa admiração; não pode viver sem ela. Tem de fazer todas as suas coisas com excelência, e o consegue (de outra forma, simplesmente não o faria). Também admira a si própria — por suas qualidades: sua beleza, inteligência, aptidão, sucessos e realizações. Caso uma dessas qualidades falhe, a catástrofe de uma depressão severa é iminente. Consideramos normal que pessoas idosas ou doentes, que perderam muitas coisas, ou mesmo mulheres na menopausa, por exemplo, entrem em depressão. Esquecemos que também existem pessoas que conseguem tolerar a perda de beleza, saúde, juventude ou de um ente querido sem se tornar depressivas. E ao contrário: existem pessoas com grandes dons que sofrem de depressão. Por quê? Porque se está livre da depressão quando a autoestima é baseada na autenticidade dos próprios sentimentos e não na posse de certas qualidades.

O colapso da autoestima em pessoas "grandiosas" mostra claramente como essa autoestima pairava, "pendurada em uma bexiga de ar" (sonho de uma paciente), que voava alto com um bom vento, mas, ao furar de repente, não passava de um pedacinho de borracha no chão. Não fora desenvolvido nada genuíno que, mais tarde, pudesse oferecer suporte. Ao lado do orgulho por uma criança — numa distância perigosamente pequena —, oculta-se a vergonha caso ela não corresponda às expectativas que lhe foram colocadas.[2]

---

2. Um estudo de campo realizado em 1954 em Chestnut Lodge [hospital psiquiátrico em Rockville, Maryland, EUA], examinou o ambiente familiar de 12 pacientes com psicose maníaco-depressiva. Os resultados desse estudo em vários pontos confirmaram meu conhecimento, adquirido de forma totalmente diversa, sobre a etiologia da depressão.

"Todos os pacientes vinham de famílias isoladas socialmente e pouco consideradas em sua região. Por isso, empenhavam-se ao máximo para aumentar seu prestígio com os vizinhos a partir da conformidade e de feitos excepcionais. Nesse esforço, cabia ao filho (que mais tarde adoeceria) um papel importante. Ele tinha de garantir a honra da família e só seria amado na medida em que conseguisse preencher, por meio de suas *habilidades excepcionais, dons, beleza* etc., as exigências ideais da família. Se falhasse, seria punido com o desprezo, a degradação do clã familiar e a certeza

A pessoa grandiosa não pode abdicar, sem o auxílio da terapia, da ilusão trágica de que admiração significa amor. Não raro, toda uma vida é dedicada a essa substituição. Enquanto as necessidades da criança de outrora — de atenção, de compreensão, de ser levada a sério — não forem compreendidas e vivenciadas de maneira consciente, a luta pelo símbolo do amor continuará. Uma paciente disse certa vez que parecia que andara até agora sobre pernas de pau. Uma pessoa que anda o tempo todo sobre pernas de pau não deveria ter inveja de quem se utiliza das próprias pernas para se locomover, mesmo que esse alguém lhe pareça menor e de certa maneira "mais mediano" que ela própria? E não terá uma raiva represada de quem a levou a ousar somente andar sobre pernas de pau? No fundo, o saudável é invejado, porque não precisa estar sempre se esforçando para conquistar admiração, porque não precisa fazer nada para se parecer desse ou daquele jeito, mas pode tranquilamente se permitir ser o que é.

A pessoa grandiosa nunca é livre, visto que é sempre dependente da admiração dos outros — e essa admiração está centrada em qualidades, funções e realizações que subitamente podem falhar.

A DEPRESSÃO COMO O REVERSO DA GRANDIOSIDADE

Entre os pacientes que conheci, a depressão estava ligada à grandiosidade de diversas maneiras:

---

de ter trazido uma vergonha suprema sobre os seus" (citação retirada de M. Eicke-Spengler, 1977, p. 1104, grifos meus).
Encontrei o isolamento social também em meus pacientes, não como motivo, mas como consequência da carência dos pais.

1 Às vezes, a depressão surgia *quando a grandiosidade se esfacelava,* devido a uma doença grave, invalidez ou envelhecimento. Por exemplo, a fonte de reconhecimento exterior de mulheres solteiras vai secando à medida que vão ficando mais velhas. Aparentemente, o desespero perante o envelhecimento está relacionado com a escassez de contatos sexuais. No fundo, porém, apoia-se em antigos medos de ser abandonadas, que não podem mais ser neutralizados com novas conquistas. Todos os espelhos que usavam como substitutos se quebraram, e lá estão elas, indefesas e confusas, como outrora a garotinha frente a frente com o rosto da mãe, no qual não via a si mesma, só a confusão da própria mãe. Os homens podem vivenciar o envelhecimento da mesma forma, mesmo que uma nova paixão lhes restitua a ilusão da juventude por algum tempo e, assim, introduza fases maníacas nos primeiros estágios da depressão causada pelo envelhecimento.

2 Nessa substituição marcada por *etapas* de grandiosidade e de depressão, e vice-versa, encontramos seu parentesco. Trata-se de dois lados da mesma medalha, que poderíamos chamar de falso *self* e que, um dia, fora conferida por honra ao mérito. Assim, por exemplo, um ator pode se espelhar nos olhos do público maravilhado e vivenciar sentimentos de grandeza divina e onipotência. Na manhã seguinte, porém, podem surgir sentimentos de vazio, falta de sentido ou mesmo vergonha e raiva, se a felicidade da noite anterior tiver suas raízes não apenas na atividade criativa da representação, mas principalmente na satisfação que substitui as antigas necessidades de ressonância, de espelhamento, de ser visto e compreendido. Se sua criatividade estiver relativamente livre dessas necessidades, nosso artista não se sentirá deprimido na manhã seguinte, e sim cheio de vida, pronto para se ocupar com outras coisas. Mas, se o sucesso do dia anterior tiver servido à negação da frustração infantil, trará — como toda substituição — apenas uma satisfação momentânea. A satisfação completa não pode mais existir, visto que seu tempo já passou inapelavelmente. A criança de outrora não existe mais, nem seus pais. Os de agora — caso ainda estejam vivos — estão velhos e dependentes, não têm mais poder sobre o filho, alegram-se talvez com seu sucesso, com suas visitas esporádicas. No presente, há sucesso e reconhecimento, que não podem significar nada além disso, não conseguem preencher a velha lacuna. A ferida antiga não pode ser curada enquanto estiver sendo negada pela ilusão, isto é, pelo inebriamento do sucesso. A depressão leva para perto da ferida, mas apenas o luto *pelo que se perdeu no momento crucial* leva à real cicatrização.[3]

3 Há pessoas que conseguem manter a ilusão da contínua atenção e disponibilidade dos pais (cuja ausência na primeira infância elas negam, juntamente com suas

---

3. Uma declaração de Igor Stravinski pode ser colocada como um exemplo de trabalho de luto bem-sucedido: "A infelicidade chegou até mim, estou convicto, pelo fato de meu pai ter estado muito distante de mim interiormente, e de minha mãe também não me oferecer amor. Quando meu irmão morreu subitamente, e minha mãe não transferiu seus sentimentos por ele para mim, e meu pai também continuou tão reservado como antes, decidi que, um dia, lhes haveria de mostrar algo. E esse dia veio, e se foi. Ninguém, além de mim, se lembra desse dia, sou sua única testemunha ocular". A declaraçao de Samuel Beckett e completamente oposta: "Podemos dizer que eu tive uma infância feliz... embora não fosse muito dotado para a felicidade. Meus pais fizeram o possível para que eu fosse uma criança feliz. Mas, com frequência, senti-me bem sozinho". (As duas citações são de um artigo de H. Müller-Braunschweig, 1974.) Aqui, o drama infantil foi totalmente reprimido, a idealização dos pais pôde ser mantida com a ajuda da negação, mas o isolamento sem fim da infância de Beckett expressou-se em sua dramaturgia.

próprias reações emocionais) por meio de contínuas realizações notáveis. Essas pessoas, em geral, são capazes de evitar a ameaça da depressão com o aumento da exibição de seu brilho, enganando a si mesmas e aos outros que as cercam. Não raro, escolhem como cônjuges pessoas fortes com características depressivas ou que, pelo menos no casamento, assumam inconscientemente os componentes depressivos do parceiro grandioso e os desempenhem. Dessa forma, a depressão fica "do lado de fora". A pessoa "grandiosa" precisa cuidar do "pobre" cônjuge, protegê-lo como a uma criança, sente-se forte e indispensável e consegue um pilar adicional para a construção da própria personalidade, que não tem fundações sólidas, mas depende dos pilares do sucesso, da realização, da "força" e, principalmente, da negação do mundo emocional de sua própria infância.

Embora, à primeira vista, a depressão se pareça diametralmente oposta à grandiosidade, e sua expressão faça mais jus à tragicidade da perda do *self*, ambas apresentam muitas similaridades.

Observamos as seguintes:

1 um falso *self*, que levou à perda do potencial do verdadeiro *self*;
2 a fragilidade da autoestima, baseada não na segurança dos próprios sentimentos e desejos, e sim unicamente na possibilidade de realizar o falso *self*;
3 perfeccionismo;
4 negação dos sentimentos rejeitados;
5 relacionamentos baseados na exploração;
6 grande medo de perda do amor e, por isso, forte disposição a adaptações;

7 agressões dissociadas;
8 suscetibilidade a melindres;
9 suscetibilidade a sentimentos de vergonha e culpa;
10 desassossego.

DEPRESSÃO COMO NEGAÇÃO DO *SELF*

A depressão pode ser compreendida como um sinal direto da perda do *self,* e consiste na negação dos próprios sentimentos e reações emocionais. Essa negação teve seu início na adaptação vital durante a infância, motivada pelo medo da perda do amor. Por isso, a depressão indica uma ferida muito prematura. Logo no início, na época da amamentação, deu-se uma falha em certas áreas afetivas, necessárias à autoconfiança estável. Há crianças que não puderam vivenciar as sensações mais prematuras, como, por exemplo, descontentamento, raiva, ódio, dor, prazer com o próprio corpo, mesmo fome. Às vezes, ouvimos mães contarem, orgulhosas, que seu recém-nascido havia aprendido a enganar a fome e, amoroso e tranquilo, esperava calmamente pelo alimento.

Por meio de cartas que descreviam essas experiências que lhes aconteceram quando recém-nascidos, conheci adultos que nunca sabiam ao certo se estavam com fome ou se era apenas "imaginação", e que tinham medo de desmaiar de fome. Entre eles estava Beatrice. O descontentamento ou a raiva dos filhos despertavam em sua mãe dúvidas sobre seu papel; as dores físicas das crianças davam-lhe medo, e o prazer com o próprio corpinho ativava nela inveja e vergonha de "o que os outros poderiam pensar". Os medos da mãe condicionaram totalmente os sentimentos das crianças. E Beatrice aprendeu muito cedo como era permitido se sentir, caso não quisesse "arriscar" o amor da mãe.

Se jogarmos fora a chave para a compreensão de nossa vida, os motivos de nossa depressão — e do sofrimento, da doença e da cura — permanecerão ocultos a nós. Um psiquiatra, cujo livro chegou às minhas mãos por um de meus leitores, afirma categoricamente que os maus-tratos, a falta de cuidados e as explorações na infância não são motivos suficientes para a explicação de doenças psíquicas posteriores. Ele acredita que os motivos pelos quais uma pessoa fica imune às consequências catastróficas de maus-tratos ou se cura mais rapidamente do que outra sejam de outra natureza, irracionais. Deve ser a "misericórdia" em ação, crê.

Ele conta, ainda, a história de um paciente que passou seu primeiro ano de vida com a mãe, que o criava sozinha, em extrema miséria, e cuja guarda foi posteriormente transferida para um órgão público. O garoto foi transferido de um abrigo para outro, sendo muitíssimo maltratado. Mas, quando foi encaminhado a tratamento psiquiátrico, seu estado melhorou muito mais rapidamente do que o de outros pacientes, com históricos parecidos com o dele, porém menos chocantes. Como pôde esse homem, que sofrera tantas barbáries na infância, ter se livrado dos seus sintomas tão rapidamente? Fora uma dádiva divina?

Muitas pessoas gostam desse tipo de explicação e evitam a pergunta decisiva. Mas não precisaríamos perguntar por que Deus não quis ajudar também os outros pacientes desse psiquiatra, e por que foi acudir esse homem, que na infância foi surrado sem piedade? Foi realmente a dádiva divina que esteve ao lado desse homem na idade adulta? Ou a explicação pode ser muito mais simples?

Se esse homem teve uma mãe que, apesar da miséria, foi capaz de lhe dar amor, proteção e segurança em seu primeiro ano de vida, indiscutivelmente, o período mais decisivo de sua vida, ele estava mais bem equipado para trabalhar os maus-tratos futuros do que alguém cuja integridade estivesse abalada desde o primeiro dia, alguém que não tivesse quaisquer direitos sobre a própria vida, que tivesse precisado aprender desde o começo que o único sentido de sua existência era o de "fazer sua mãe feliz".

Esse foi o drama de Beatrice, minha paciente. Ela não foi brutalmente maltratada em sua juventude. Mas, quando bebê, precisou aprender a não chorar, a não ficar com fome, a não ter necessidades, a fim de "fazer sua mãe feliz". Sofreu primeiro de anorexia e, posteriormente, por toda a idade adulta, de profunda depressão.

A crença irracional em imagens tradicionais de amor e de moral presta-se bem para esconder ou reprimir os fatos da própria história. Sem o livre acesso a esses fatos, porém, as raízes do amor permanecem arrancadas. Não é de admirar que apelos a relacionamentos interpessoais amorosos, generosos e sem rancores sejam inúteis. Não podemos amar realmente se nos é proibido ver nossa própria verdade e a de nossos pais e educadores. Apenas *fazemos de conta que amamos*. Esse comportamento hipócrita é o contrário do amor. Confunde e trai, produz no outro uma raiva inconsciente que precisa ser reprimida, e que nunca poderá ser vivenciada conscientemente, tornando-se destrutiva. Principalmente quando o outro, aquele que recebe, precisa acreditar nesse suposto amor.

Muitas pessoas poderiam ser ajudadas no sentido de se tornarem mais autênticas (o que significa também menos destrutivas), se líderes religiosos reconhecessem essa simples lei psíquica. Em vez de ignorá-la, bastaria olhar um pouco melhor as pessoas à sua volta e ver quantos males a hipocrisia traz para famílias, para a vida pública, para toda a sociedade.

Vera escreveu-me uma carta que traz um exemplo claro de desespero causado por hipocrisia. O trecho a seguir foi reproduzido a partir de sua vontade. Por sua vez, a história de Maja, apresentada em seguida, mostra como lhe foi possível amar espontaneamente o próprio filho depois que ela conseguiu eliminar a repressão de seu passado.

Vera, 52 anos:

Fui alcoólatra durante décadas e me livrei da bebida frequentando os AA. Fiquei tão agradecida pela minha libertação que continuei frequentando o grupo por mais 11 anos, período durante o qual tentei não prestar atenção a meus pensamentos críticos. Também não quis tomar consciência do início de uma doença traiçoeira, chamada esclerose múltipla, muito menos do aumento da minha depressão.

Agora, depois de 3 anos de terapia, sei como cheguei a esses sintomas alarmantes — talvez tivesse de passar por eles a fim de que finalmente começasse a levar a sério minhas percepções e sinais.

Nos grupos, irritava-me a conversa sobre o "amor incondicional", que aparentemente todos os membros dedicavam uns aos outros. Explico essa irritação pelo fato de nunca ter experimentado o amor verdadeiro, pois quando criança nunca o recebera e, dessa forma, não pude desenvolver a confiança em mim mesma de que o amor sequer existisse. Isso pelo menos é o que nos ensinavam. Eu queria acreditar nessas afirmações, pois estava sedenta de amor. E eu podia acreditar, já que minha mãe me alimentava com hipocrisia, e eu não conhecia coisa diferente. Mas agora já está claro para mim: apenas a criança precisa do amor incondicional. E só à criança podemos e devemos dá-lo. Isso significa que devemos amar e respeitar a criança sob nossos cuidados, independentemente do que faz, se chora ou se ri de alegria. Amar um adulto incondicionalmente, porém, não importando o que ele faça, pode nos levar a amar um frio assassino ou um mentiroso notório, só pelo fato

> de ele ter ingressado no grupo. Podemos fazer isso? Devemos? Por quê? Quem ganha com isso? Se afirmamos amar um adulto incondicionalmente, estamos apenas declarando nossa cegueira e falsidade, nada mais.

Vera tem razão. Como adultos, não precisamos de amor incondicional, nem mesmo do nosso terapeuta. Essa é uma necessidade infantil, que mais tarde não pode ser preenchida. Quem não lamentou essa perda na infância brinca com ilusões. Do nosso terapeuta, precisamos de honestidade, respeito, confiança, empatia e compreensão, bem como de sua capacidade para resolver os próprios sentimentos e não nos incomodar com eles. Podemos conseguir isso. Mas, se alguém nos promete amar "incondicionalmente", precisamos tomar cuidado. O fato de Vera ter encontrado em três anos o que levou décadas procurando, ela credita à sua decisão de encontrar a verdade e não mais se deixar enganar. A observação das manifestações de seu corpo a ajudou nesse caminho.

Maja, 38 anos, veio ao consultório três semanas depois do nascimento de seu terceiro filho e me contou como se sentia livre e viva com seu bebê. A diferença em relação aos dois pós-partos anteriores era muito acentuada, quando se sentira sobrecarregada, presa, usada pela criança, "explorada", revoltando-se contra suas justificadas necessidades e sentindo-se muito má — alienada de si mesma, como na depressão. Talvez, pensava, essas primeiras reações tivessem sido a revolta contra as exigências de sua própria mãe, visto que agora ela não experimentava nada parecido. O amor, que na época lutou para sentir, agora tinha vindo espontaneamente, e ela sentia-se uma com o bebê e consigo. Então, falou sobre sua mãe nos seguintes termos:

Eu era a joia na coroa da minha mãe. Ela dizia sempre: pode-se confiar na Maja, ela consegue. Eu realmente consegui. Criei os outros filhos menores para que ela pudesse continuar sua carreira profissional. E ela ficava mais e mais famosa, embora eu nunca a tivesse visto feliz. Quantas noites eu senti falta dela, os pequenos choravam e eu os consolava, mas eu nunca derramava lágrimas. Quem precisaria de uma criança chorona? Só poderia receber o "amor" da minha mãe sendo competente, compreensiva, controlada, nunca questionando seus atos e nem mostrando quanto sentia falta dela — tudo isso iria cercear sua liberdade, de que tanto necessitava. E ela se viraria contra mim. Naquela época, ninguém podia imaginar o quanto a competente, tranquila e agradável Maja era solitária e sofredora. O que me restava, além de ter orgulho da minha mãe e ajudá-la?

Quanto maior o buraco no coração da mãe, tanto maiores precisariam ser as joias na sua coroa. Minha mãe precisava dessas joias, pois toda a sua atividade servia para reprimir algo dentro de si, um desejo, talvez, não sei... Talvez ela o tivesse descoberto se tivesse a sorte de ser uma mãe num sentido mais amplo que apenas o biológico. Aparentemente, esforçava-se tanto e tinha tanta responsabilidade. Mas a alegria do amor espontâneo não lhe fora dada.

E como tudo isso se repetiu com Peter! Quantas horas vazias meu filho ficou com empregadas para que eu pudesse cursar a faculdade, o que só serviu para me afastar dele e de mim mesma. Quantas vezes eu o abandonei e não percebi o que tinha feito, já que eu nunca pude sentir meu próprio abandono? Apenas agora começo a ter noção de como pode ser uma maternidade sem coroa, sem joias, sem auréola.

Em uma revista feminina alemã, que nos anos 1970 se empenhou em abordar tabus de maneira franca, encontramos o relato de uma leitora contando, sem retoques, sua trágica experiência com a maternidade. Sua narrativa encerra-se com as seguintes frases:

> E, então, a amamentação! O bebê era colocado ao peito de maneira errada, e logo meus mamilos estavam todos mordidos. Meu Deus, como era desagradável. Mais duas horas, e ele retorna; mais uma... de novo... Enquanto ele sugava, eu chorava e blasfemava. A situação ficou tão insuportável que eu não conseguia comer mais nada e tive febre de 40°C. Nesse momento, permitiram-me desmamar, e imediatamente me senti melhor. Por muito tempo não tive qualquer desejo maternal. Não me importaria se o bebê tivesse morrido. E todos esperavam que eu estivesse feliz. Uma amiga, a quem telefonei totalmente desesperada, achava que o afeto viria com o tempo, quando eu passasse as 24 horas do dia cuidando do bebê, quando ele estivesse sempre comigo. Também não foi bem assim. Comecei a *gostar* dele apenas quando retornei ao trabalho. Ao voltar para casa, sentia-o como se ele fosse uma *distração e um brinquedo*. Para ser franca, um cachorrinho teria surtido o mesmo efeito. Agora que meu filho está crescendo, percebo que *posso educá-lo, que ele me é devotado, confia totalmente em mim;* estou começando a desenvolver uma *relação terna* com ele, e sinto-me feliz por ele existir. Escrevi tudo isso porque acho que está na hora de alguém dizer que não há o propalado amor materno — para não falar de um instinto maternal. (cf. revista *Emma,* jul. 1977, grifos meus)

A questão central do problema é que tanto a tragédia da mãe, autora da carta, quanto a do filho não puderam ser vivenciadas por ela própria, pois sua infância, emocionalmente bloqueada, deveria ser o início da história. Sua declaração pessimista, portanto, leva a enganos e não é correta. Na realidade, há algo como "amor materno e instinto maternal". Podemos observar isso em animais que não foram maltratados pelos homens. Também as mulheres nascem com o "programa" instintivo que as capacita a amar seus filhos, protegê-los, apoiá-los, alimentá-los e ter alegria nisso. Mas essa capacidade instintiva nos é retirada muito cedo, ao sermos exploradas na infância a fim de suprir as necessidades de nossos pais. Felizmente, como comprova a história de Johanna, podemos reconquistar essa capacidade quando aceitamos a verdade.

Johanna, 27 anos, começou sua terapia logo após engravidar. Ela estava bem-preparada para o parto, sentia-se feliz com o *bonding* entre ela e o saudável recém-nascido e alegrava-se por poder amamentar sem restrições. Mas, de repente, sem qualquer razão aparente, seus seios ficaram duros e começaram a doer, e a enfermeira passou a dar mamadeira para o bebê enquanto ela tinha febre.

Nos pesadelos durante as febres, ela revivia sempre, com muitos detalhes, cenas do abuso sexual cometido pelos pais e pelos vizinhos quando tinha três meses. Concluiu-se a idade porque a família mudou-se depois dessa época. Graças à grande confiança nos próprios sentimentos, Johanna estava apta a vivenciar plenamente o ódio pela traição e o desapontamento pela violentação numa idade tão precoce. O que mais detestava era saber que sua capacidade de seguir seus instintos tinha sido tão severamente danificada. Para ela, esse era o maior delito de seus pais. Mais tarde, disse: "Eles roubaram minha maternidade quando eu tinha três meses. Nem consegui amamentar meu filho no início, embora eu o quisesse tanto".

Passou-se muito tempo até que Johanna conseguisse se confrontar em um diálogo interno com os pais, expressar a raiva e a indignação represadas em seu corpo, reclamar seus direitos e trabalhar a violentação. Mas, ainda antes do início desse processo, a simples disposição para permitir toda a verdade levou à queda da temperatura e à cura de seus seios. Ela foi capaz de amamentar o bebê, que rapidamente aprendeu a evitar a mamadeira, embora a enfermeira achasse isso "absolutamente impensável".

Johanna aproveitou sua maternidade e sua felicidade por conseguir amar; pôde amar, proteger, alimentar, acalmar e cuidar de um ser inocente, conseguindo até adivinhar suas necessidades. Mas essa felicidade foi constantemente interrompida por fases nas quais duvidava de estar fazendo tudo certo, temia que a felicidade terminasse tragicamente, perguntava se podia "entregar-se" à sua alegria. Por ter estudado psicologia, perguntava-se ainda se não sofria de alguma mania, se por egoísmo não paparicava perigosamente o filho etc. A torturante autocrítica foi alimentada também por conselhos de amigos, que achavam que a criança precisava receber limites desde cedo e aprender a ser independente, senão se tornaria uma pequena tirana. Embora Johanna não desse crédito a qualquer dessas opiniões, não conseguiu evitar a insegurança que se instalara junto a seu próprio filho.

As sessões de terapia ajudavam-na a se orientar, e a cada vez descobria quanto era importante para ela poder amar e mostrar sem perigo esse seu amor, sem precisar temer que o filho lhe fosse explorar, trair ou violentar. Isso lhe devolveu a sensação de ser inteira novamente, como antes das feridas, tão precoces. Em suas confrontações internas com seus pais, precisava dizer-lhes frequentemente:

Eu amo Michael, e quero amá-lo. Minha alma precisa desse amor como meu corpo precisa de ar. Mas eu estou constantemente na iminência de abafar essa necessidade, preciso de toda minha energia e meu intelecto para essa repressão, apenas para me "libertar" desse amor, que eu suspeito ser "errado". Por quê? Como vocês me levaram a isso? Vocês me ensinaram tão cedo que uma criança pequena não merece respeito, que não é gente, na melhor das hipóteses é um brinquedo com o qual se pode brincar, mas também ameaçar à vontade, explorar e maltratar, sem ser preciso ter a mínima responsabilidade por isso. Essa é a herança de vocês, aquela que me deixa insegura tantas vezes, que me transmite sensações de estresse e saturação e, ainda hoje, às vezes, eu não arrisco sentir raiva de vocês, dirigindo-a para o meu filho. É tão fácil imaginar que Michael iria restringir minha vida, minha liberdade, pois ele me requer o tempo todo. Mas não é ele. É só olhar em seus olhos e ver sua inocência e fidelidade, e eu sei: de novo estou fazendo dele bode expiatório para vocês. Um filho amado aprende, desde o início, o que é amor. Um filho negligenciado, desprezado e explorado nunca pode aprender. Mas eu quero saber, aprendo todo dia com Michael, sempre algo novo, devagar, apesar da herança de vocês. Eu sei que um dia terei certeza de que sou capaz de amar.

A luta de Johanna por seus sentimentos verdadeiros salvaram não só o futuro de seu filho como também o seu próprio.

A história de Anna mostra o que pode acontecer sem essa luta (sem terapia) a uma criança que sofreu abuso sexual na infância. Anna, uma mulher de 50 anos, escreveu-me alguns dias antes de sua morte:

Recebi, hoje, a visita de meus filhos adultos e percebi, pela primeira vez na vida, que sou amada por eles, sempre fui, e que nunca, até hoje, sentira esse amor. Abandonei frequentemente meus filhos por homens diversos e, na realidade, estava fugindo do meu amor por essas crianças, fugindo de meus sentimentos verdadeiros pelo prazer sexual com homens que me fizeram sofrer tanto e nunca me deram o que eu realmente precisava: amor, compreensão, aceitação. Quando bebê, eu havia sido condicionada pelo meu pai a procurar o prazer junto à dor e à raiva, a temer e a reprimir o desejo pelo verdadeiro amor, e, dessa forma, evitar pessoas capazes de amar. Isso era uma perversão? Nunca pude escapar dela, por toda a minha vida. E agora, percebo, é tarde demais.

Era tarde demais porque, na verdade, Anna podia experimentar raiva e indignação, mas somente com seus parceiros. De acordo com o que me escreveu, ela continuava "amando" e respeitando seu pai como antes.

FASES DEPRESSIVAS DURANTE A TERAPIA

Uma pessoa grandiosa só procurará terapia quando episódios depressivos vierem em seu auxílio. Enquanto a defesa da grandiosidade funciona, essa forma de transtorno não exerce qualquer pressão por meio de sofrimento visível, exceto quando outros membros da família (cônjuge ou filhos) precisam de auxílio psicoterápico devido à depressão ou a desordens psicossomáticas. Na vivência da terapia, encontramos a grandiosidade mesclada com a depressão. Por sua vez, encontramos a depressão em quase todos os nossos pacientes, seja na forma de uma doença manifesta, seja nas fases distintas do humor depressivo. Essas fases podem ter funções diversas. O ponto em comum é que elas se resolvem quando os sentimentos suspeitados e as antigas situações são vivenciadas e conseguem ser resolvidas.

FUNÇÃO SINALIZADORA

Acontece de uma paciente começar uma consulta queixando-se de depressão e sair do consultório, em lágrimas, mas muito aliviada e livre da depressão. Talvez ela tenha sido capaz de vivenciar uma raiva represada havia muito; ou de expressar a antiga desconfiança em relação à mãe; ou de sentir, pela primeira vez, tristeza por tantos anos perdidos em sua vida; ou de descarregar a raiva pelas férias iminentes da terapeuta e por sua separação dela. É irrelevante quais desses sentimentos vieram à tona, o importante é que puderam ser vivenciados e possibilitaram o acesso a lembranças reprimidas. A depressão era um sinal de sua proximidade e de sua negação. Um fato do presente possibilitou a irrupção desses sentimentos, fazendo que a depressão desaparecesse. Isso pode indicar que partes negadas do *self* (sentimentos, fantasias, desejos, medos) se fortaleceram, sem encontrar uma saída na grandiosidade.

"ATROPELAR-SE"

Existem pessoas profundamente machucadas que, ao chegarem muito próximas do que lhes é mais íntimo, sentem-se bem e compreendidas e resolvem organizar uma festa ou outra coisa sem importância para elas nesse instante, o que as fará sentir-se novamente sozinhas e sobrecarregadas. Alguns dias depois, vão se queixar de autoalienação e vazio, com a vaga sensação de que perderam novamente o acesso a si próprias. Inconscientemente, essas pessoas provocam situações que podem repetir o que sentiam quando crianças, durante as brincadeiras, quando estavam *consigo mesmas* e eram incentivadas a fazer "algo mais adequado", e seu mundo em processo de criação era atropelado. Provavelmente, essas crianças já reagiam a isso de maneira depressiva, pois não podiam se arriscar a ter a reação normal para o caso, a raiva. Quando o adulto se dispõe a recobrar essas lembranças no presente a fim de trabalhá-las, é possível que a revolta cesse graças aos sentimentos que emergiram, e a necessidade reprimida (de estar consigo mesmo) torna-se clara. A remissão da depressão é quase uma consequência automática: sua função de defesa não é mais necessária. Também o agir perde momentaneamente sua função, já que podemos saber o que realmente queremos. O que, nesse caso, seria — talvez — um tempo para si, e não uma distração com festas.

A ACUMULAÇÃO DE EMOÇÕES FORTES

As fases depressivas podem durar semanas antes da irrupção de fortes emoções da infância. É como se a depressão segurasse essas emoções. Depois de vivenciá-las, o paciente se sente vital outra vez, até que uma nova fase depressiva anuncie algo novo. Esses estados podem ser descritos da seguinte maneira: "Eu não me sinto mais, como é possível me perder novamente? Não tenho mais ligações com o que está dentro de mim. Não há mais esperança... As coisas nunca vão melhorar. Nada tem sentido. Eu sinto falta da minha vitalidade". Pode se seguir uma erupção agressiva, com severas críticas e censuras. Se essas críticas forem procedentes, ocorre um grande alívio. Se improcedentes, pois dirigidas a pessoas inocentes, a depressão permanecerá até que a clareza se torne possível.

CONFLITOS COM OS PAIS

Sempre haverá momentos depressivos depois de o paciente ter começado a resistir às exigências de seus pais, já que ainda não tem consciência de muitas coisas. Ele pode, por exemplo, mostrar resistência à exigência de bom desempenho, da qual ainda não está totalmente livre. Nesse momento, o paciente entrará de novo no beco sem saída das cobranças excessivas que ele mesmo se impõe, e só com a depressão tomará consciência disso. Podemos ilustrar o fato assim: "Anteontem eu estava feliz, o trabalho fluía bem, eu pude preparar mais coisas para apresentar no exame do que tinha programado fazer durante toda a semana. Pensei, então, que tinha de aproveitar essa maré e, à noite, escrever mais um capítulo. Trabalhei a noite toda, mas já estava sem vontade. No dia seguinte, não consegui fazer mais nada. Senti-me como o perfeito idiota, nada entrava na minha cabeça. Também não queria ver ninguém, era como durante as depressões que costumava ter. Então, 'recapitulei' e encontrei a passagem onde tudo havia começado. Acabei com meu prazer quando passei a me exigir mais e mais. E por quê? Lembrei-me das palavras da minha mãe: 'Você fez isso muito bem! Que tal aproveitar e fazer também...' Fiquei com raiva e fechei os livros. Subitamente, confiei em mim: saberia quando estaria pronto para trabalhar de novo. E isso realmente aconteceu. A depressão passou ainda mais rápido — quando percebi que havia excedido meus limites outra vez".

A PRISÃO INTERIOR

Todos, provavelmente, conhecem por experiência própria o estado depressivo, que tanto pode estar expresso quanto oculto por um sofrimento psicossomático. Ao atentarmos para ele, é fácil notar que aparece com certa regularidade, inibindo a vitalidade espontânea sempre que um impulso próprio ou uma emoção forte e indesejada são reprimidos. Por exemplo: se um adulto não consegue viver o luto pela perda de um ente querido, mas, ao contrário, tenta distrair--se da dor; ou, se suprime e oculta de si mesmo sua indignação com o comportamento idealizado de um amigo, por medo de perder sua amizade, é muito provável que tenha depressão (a menos que sua defesa de grandiosidade lhe esteja sempre à disposição). A situação do presente o alerta sobre a dependência do passado, que mantém reprimida. Quando o paciente começar a estar atento a essa ligação, conseguirá tirar proveito de sua depressão; conseguirá descobrir a verdade sobre si mesmo.

Uma criança ainda não tem essa possibilidade. Ela não consegue perceber o mecanismo da autoenganação e, por outro lado, é muito mais ameaçada do que o adulto pela intensidade de suas emoções, caso não conte com um ambiente seguro e empático. Mas também o adulto pode temer suas emoções, do mesmo modo que uma criança, enquanto não estiver consciente dos motivos desse medo. Essas emoções, tão acentuadamente intensas, só voltarão a aparecer durante a puberdade. A recordação das dores da puberdade, da incapacidade de entender e de situar os próprios impulsos, é em geral mais acessível do que os primeiros traumas, que estão frequentemente ocultos sob imagens de uma infância idealizada ou mesmo sob uma amnésia infantil quase total.

Talvez essa seja a razão pela qual os adultos raramente se lembram da adolescência com nostalgia, ao contrário da infância. A mistura de saudade, expectativa e medo do desapontamento que, para muitas pessoas, acompanha as lembranças das festas do passado talvez possa ser explicada pela busca da intensidade das emoções da própria infância.

Mas, exatamente pelo fato de serem tão fortes, as emoções das crianças não podem ser reprimidas sem sérias consequências. Quanto maior o preso, maiores devem ser os muros da prisão, que posteriormente dificultarão ou até impedirão o desenvolvimento emocional.

Na medida em que sabemos, por meio de contínuas experiências, que a irrupção de emoções intensas da primeira infância, caracterizadas pela qualidade específica da não compreensão, pode aliviar um longo período de depressão, aos poucos vamos mudando nossa forma de encarar as emoções indesejadas, principalmente a dor. Descobrimos que não somos mais obrigados a seguir o padrão antigo (desapontamento – repressão da dor – depressão), pois contamos com outra possibilidade para lidar com o desapontamento: a *vivência da dor*. Apenas nesse caminho abre-se para nós o acesso emocional a nossas primeiras experiências, isto é, às partes de nosso *self* e de nosso destino, até agora ocultas.

Um paciente, na fase final de sua terapia, expressou-se da seguinte forma:

> Não foram os sentimentos belos e agradáveis que me deram novos *insights*, mas aqueles contra os quais eu mais me defendi:

sentimentos que me faziam sentir largado, pequeno, mau, desamparado, humilhado, exigente, rancoroso ou desesperado e, sobretudo, triste e sozinho. Mas foi precisamente depois da vivência desses sentimentos, evitados por tanto tempo, que tive a certeza de entender algo a partir de meu interior, algo que eu não encontraria em livro algum.

Esse paciente descreveu, na realidade, o processo de reconhecimento emocional. Interpretações de terapeutas que nunca descobriram a verdade de sua infância podem perturbar esse processo, intimidá-lo, retardá-lo, até impedi-lo ou transformá-lo em mero conhecimento intelectual. Pois o paciente está sempre pronto para desistir de sua alegria em descobrir a autoexpressão, a fim de se acomodar aos conceitos do seu terapeuta — por medo de perder sua atenção, compreensão e empatia, pelas quais esteve esperando a vida inteira. Não consegue acreditar que possa ser diferente, devido a suas primeiras experiências com os pais. Mas, se ele se curvar a esse medo, acomodando-se, a terapia escorrega para o plano do falso *self*, enquanto o verdadeiro se mantém oculto e não se desenvolve. Dessa maneira, é importantíssimo que o terapeuta não formule, com base em suas próprias necessidades, conexões que o paciente está descobrindo com o auxílio de seus sentimentos. Senão, corre o risco de se comportar como o amigo que está levando comida ao companheiro preso no exato momento em que ele tinha uma oportunidade para fugir da prisão e passar sua primeira noite sem abrigo e faminto, mas em liberdade. Visto que esse passo rumo ao desconhecido exige muita coragem, pode ser que o prisioneiro prefira ficar na prisão, reconfortado com a comida e com o "abrigo", e deixe sua chance escapar.

Se a necessidade do paciente pela descoberta for respeitada, ele poderá, pela primeira vez, vivenciar conscientemente uma antiga situação, nunca lembrada, na extensão total de sua tragicidade, e enlutar-se depois. É parte da dialética do luto que tais experiências tanto encorajem como sejam dependentes da autodescoberta.

A contrapartida da depressão *dentro* do transtorno é a grandiosidade. O paciente pode, portanto, ser libertado de sua depressão se o terapeuta ou o grupo o deixarem participar de sua grandiosidade, isto é, quando for possível ao paciente, integrado no grupo, sentir-se forte e grande. O transtorno aparece de outra forma, por algum tempo, embora ainda exista. A libertação das duas formas de transtorno é praticamente impossível sem um luto profundo pela situação da infância.

A habilidade de encarar o luto, isto é, de desistir da ilusão de uma infância "feliz", de sentir e reconhecer a totalidade e extensão de suas feridas, devolve à pessoa depressiva sua vitalidade e criatividade e liberta a pessoa grandiosa de seus esforços e da dependência de sua tarefa sisifiana. Se, durante esse longo processo, ela experienciar que nunca foi amada pela criança que era, mas usada por suas realizações, sucessos e qualidades, e que sacrificou sua infância por um chamado "amor", isso a abalará profundamente, porém um dia ela sentirá vontade de eliminar essa fachada. Descobrirá a necessidade de viver de acordo com seu verdadeiro *self* e não mais receber amor como paga, um "amor" que, no fundo, a deixa de mãos vazias, pois se dirige ao seu falso *self*, ao qual começou a renunciar.

A libertação da depressão não leva a uma alegria ininterrupta ou à ausência completa de sofrimento, mas à vitalidade, ou seja, à liberdade de viver espontaneamente os sentimentos que afluem. A diversidade da vida faz que não sejam sempre "para cima", "bonitos" e "bons", mas representem toda a escala da experiência humana, como inveja, ciúme, raiva, indignação. Porém essa abertura e essa liberdade em nos permitir sentimentos, sejam eles quais forem, não é possível se suas raízes tiverem sido cortadas na infância. Isso, às vezes, ocorre conosco. Assim, temos acesso ao nosso verdadeiro *self* quando não precisamos mais temer o universo de sentimentos de nossa infância. Depois que experienciamos esse universo, ele deixa de ser estranho e temido. Torna-se conhecido e confiável, e não precisa mais ficar escondido atrás do muro da prisão dos sentimentos. Sabemos quem e o que nos oprimiu e confundiu, e exatamente esse conhecimento nos liberta. Livres, inclusive, de velhas dores.

Boa parte dos conselhos para "lidar" com a depressão tem um caráter claramente manipulativo. Alguns psiquiatras acreditam que é preciso mostrar aos pacientes que sua desesperança não é racional ou alertá-los de sua hipersensibilidade. Em minha opinião, esse tipo de conduta reforça o falso *self* e a acomodação emocional e, no fundo, também a depressão. Se queremos evitar isso, devemos levar todos os sentimentos do paciente a sério. E precisamente sua hipersensibilidade, sua vergonha, sua autorreprovação (quantas vezes um paciente sabe que reage de maneira hipersensível, e como se reprova por isso!) são o que constitui o fio condutor aos antigos sentimentos e à queixa real, oculta, mesmo que ele ainda não compreenda a relação existente. O sentimento de desesperança pode se encaixar muito precisamente na real situação da infância.

Quanto menos reais são esses sentimentos, menos vão se encaixar na realidade atual, mostrando que dizem respeito a situações desconhecidas do passado, que ainda precisam ser descobertas. Se os sentimentos a que dizem respeito não forem experienciados, porém entendidos racionalmente, a descoberta não se realizará e a depressão pode festejar seu triunfo.

Pia, 40 anos, brutalmente maltratada em sua infância, conseguiu vivenciar sua raiva pelo pai, por muitos anos reprimida, após passar por uma longa fase depressiva, com tentativas de suicídio. A esse acontecimento não se seguiu imediatamente um alívio, mas uma fase cheia de luto e de lágrimas. Ao final desse período, ela disse:

> O mundo não mudou, há muito mal e mesquinhez à minha volta, e eu vejo isso mais claramente do que antes. Apesar disso, pela primeira vez eu acho que viver vale a pena. Talvez porque eu tenha a impressão de estar vivendo a minha vida pela primeira vez, o que é uma aventura emocionante. Mas agora eu compreendo melhor minhas tentativas de suicídio, principalmente na juventude. Parecia não ter sentido continuar vivendo... talvez porque eu vivia uma vida estranha, que eu não queria e de que seria capaz de abdicar com tamanha facilidade.

UM ASPECTO SOCIAL DA DEPRESSÃO

Pode-se perguntar até que ponto a adaptação leva, necessariamente, à depressão. Não há exemplos de pessoas emocionalmente adaptadas que vivem perfeitamente felizes? Casos assim podem ter existido no passado. Em outras culturas, com valores diferentes dos nossos, uma pessoa adaptada podia não ser autônoma, podia não ter uma identidade própria, individual, que lhe desse sustentação, mas o apoio vinha do grupo. É claro que havia exceções, pessoas para quem isso não bastava e que eram fortes o suficiente para se libertar. Hoje em dia, dificilmente grupos com valores diferentes uns dos outros permanecem isolados. Portanto, é necessário que o indivíduo se apoie em si mesmo se não quiser se transformar em vítima de interesses e ideologias diversas.

Atualmente, existem inúmeros grupos que se denominam terapêuticos e que colocam o "fortalecimento" de seus membros como sua tarefa terapêutica. Pode-se chegar, inclusive, a um vício no grupo, pois ele transmite a sensação de apoio e reforça a ilusão de que as necessidades reprimidas da criança por amor, compreensão e segurança ainda podem ser preenchidas, dessa vez pelo próprio grupo. Acontece que essa "droga", ao continuar sufocando os sentimentos infantis, também não consegue aplacar a depressão. O apoio em si mesmo, isto é, por intermédio do acesso às próprias e reais necessidades, e da possibilidade de serem articuladas, é necessário a todos, na medida em que o indivíduo queira viver livre da depressão e das drogas.

Também no interior de uma criança adaptada há forças latentes que resistem a essa adaptação. Alguns jovens escolhem valores novos na adolescência, opostos aos dos pais, propondo novos ideais e procurando torná-los realidade. Mas, se essa procura não estiver baseada em necessidades e sentimentos próprios e verdadeiros, o jovem irá se adaptar a esses ideais da mesma maneira que, antes, se adaptara a seus pais. Novamente, ele irá negar seu verdadeiro *self*, a fim de ser reconhecido e amado pela turma de sua faixa etária ou pela namorada. Nada disso resolve de vez a depressão. Mesmo quando adulta, essa pessoa não será ela mesma, não se conhecerá nem se amará; fará tudo para ser amada por alguém, do mesmo modo que necessitava disso quando criança. E espera finalmente conseguir, adaptando-se. Os dois exemplos que se seguem ilustram tal evolução:

1 Paula, 28 anos, queria se afastar de sua família patriarcal, na qual sua mãe era subjugada por seu pai. Ela se casou com um homem submisso, parecendo se comportar de maneira inversa à da mãe. O marido tolerava a presença de amantes em casa. Ela própria não se permitia sentimentos de ciúme e ternura e queria relacionar-se com muitos homens, sem qualquer envolvimento emocional, a fim de se sentir independente como um homem. Sua necessidade de ser "progressista" chegou ao ponto de ela permitir que seus amantes a maltratassem e humilhassem, reprimindo seus sentimentos de raiva e mágoa, imaginando que dessa maneira seria moderna e estaria livre de preconceitos. Assim, mantinha nessas relações, inconscientemente, tanto sua obediência infantil quanto a submissão de sua mãe. Sofrendo de depressão severa e de dependência alcoólica, começou a

terapia, que lhe permitiu sentir os efeitos da obediência da mãe. Essas confrontações internas diretas com a mãe possibilitaram a Paula, com o tempo, não mais trazer, de maneira inconsciente e obsessiva, a postura materna para seus relacionamentos amorosos, podendo finalmente relacionar-se com pessoas dignas do seu amor.

2 Amar, 40 anos, criança de uma família africana, foi criado apenas pela mãe; seu pai morrera quando ele ainda era bebê. A mãe fazia questão de seguir certas regras de conduta e não permitiu, de modo algum, que o filho se conscientizasse ou expressasse suas necessidades. Por outro lado, massageou o pênis dele regularmente até a puberdade, seguindo um suposto conselho médico. Já adulto, o filho se separou da mãe e de seu mundo, casando-se com uma mulher europeia, de nível socioeconômico completamente diferente do de seus pais. Não foi o acaso que o fez escolher uma mulher que o tortura, o humilha, deixa-o inseguro — uma mulher que ele é incapaz de enfrentar ou abandonar —, e sim a história de sua infância, inconsciente, porém arquivada em seu corpo. Como o exemplo anterior, esse casamento é uma tentativa de romper com o sistema social dos pais, auxiliado por outro sistema. O homem adulto pôde se livrar da mãe de sua adolescência, mas ficou emocionalmente preso à imagem infantil inconsciente de mãe, cujo papel foi assumido pela esposa, enquanto ele não conseguiu vivenciar os sentimentos do passado. Foi terrivelmente doloroso para ele perceber, na terapia, quanto admirava a mãe e quanto se sentia abusado em seu desamparo quando criança; quanto a tinha amado, odiado e estado à sua mercê. O resultado desses sentimentos foi a perda do medo frente à esposa, ousando pela primeira vez vê-la como realmente era.

Uma criança precisa se adaptar a fim de obter a ilusão do amor, da atenção, do querer bem. O adulto não mais precisa dessa ilusão para sobreviver. Ele pode encerrar sua cegueira a fim de passar ao comando de suas ações — de olhos abertos.

Tanto o grandioso quanto o depressivo negam integralmente a realidade de sua infância, vivendo como se ainda fosse possível resgatar a disponibilidade dos pais: o grandioso, na ilusão de conseguir sua atenção; e o depressivo, no medo constante de, a qualquer momento, por culpa sua, perdê-la. Ambos são incapazes de aceitar a verdade de que não existia amor no passado e que nenhum esforço desse mundo vai poder mudar isso.

A LENDA DE NARCISO

A lenda de Narciso fala da tragédia da perda de si mesmo, do chamado transtorno de personalidade narcisista. Narciso vê-se refletido na água e apaixona-se pela própria imagem, certamente, também, motivo de orgulho por parte da mãe. A ninfa Eco responde aos apelos do jovem porque está apaixonada por sua beleza. Os chamados de Eco enganam Narciso. Seu reflexo também o engana, na medida em que só mostra o seu lado perfeito, maravilhoso, escondendo os outros. Ele não vê suas costas nem sua sombra — por não fazerem parte de sua imagem idolatrada, são eliminadas.

Esse estágio do encantamento é comparável à grandiosidade, da mesma forma que o próximo — o desejo consumidor de si mesmo — é comparável à depressão. Narciso queria apenas ser o belo jovem, negando totalmente seu verdadeiro *self,* queria ser apenas a bela imagem. Isso o leva à desistência de si mesmo, à morte ou, na versão de Ovídio, à transformação em flor. Essa morte é uma consequência lógica da fixação no falso *self.* Pois não são somente os sentimentos "bonitos", "bons" e agradáveis que nos tornam vitais, que aprofundam nossa existência e nos permitem *insights* decisivos, mas exatamente aqueles sentimentos desagradáveis, "errados", dos quais preferiríamos escapar: impotência, vergonha, inveja, ciúme, confusão, raiva, luto. Na terapia, esses sentimentos podem ser vivenciados, compreendidos e ordenados. O consultório, dessa forma, é o espelho do mundo interior, muito mais rico do que "a bela imagem".

Narciso está apaixonado por sua imagem idealizada, mas nem o "Narciso" grandioso nem o depressivo podem realmente se amar. Sua paixão pelo seu falso *self* o impossibilita não apenas do amor pelo outro, mas também, por mais incrível que isso possa parecer, pela pessoa que está inteiramente confiada a seus cuidados: ele próprio.

O CÍRCULO VICIOSO DO DESPREZO

A HUMILHAÇÃO DA CRIANÇA, O DESRESPEITO PELO FRACO — ONDE ISSO VAI DAR?

EXEMPLOS DO COTIDIANO

Durante umas férias, meu pensamento ficou vagando em torno do tema "desprezo", e reli diversas anotações que havia feito sobre o assunto. Provavelmente, devido à minha sensibilização pelo tema, uma cena banal, sem lances espetaculares, tocou-me de maneira mais intensa do que de costume. Vou descrevê-la como introdução às minhas observações, já que ela ilustra alguns dos *insights* que tive durante meu trabalho, sem perigo de indiscrição.

Estava passeando e notei um jovem casal poucos metros à minha frente. O casal era alto; ao lado deles caminhava um garoto, de cerca de 2 anos de idade, que choramingava. (Estamos acostumados a ver situações como essa da perspectiva de adultos, e tentarei aqui descrevê-la a partir da criança.) O casal tinha acabado de comprar dois picolés e os lambiam com prazer. A criança também queria um sorvete. A mãe lhe disse carinhosamente: "Você pode dar uma mordida no meu, um inteiro é muito frio para você". A criança queria segurar o palito e não apenas dar a mordida, mas a mãe o tirou de seu alcance. A criança chorou desesperada, e a situação se repetiu com o pai: "Aqui está, meu amor", falou o pai com carinho, "pode dar uma mordida no meu". "Não, não", gritou a criança, e começou a correr, tentando distrair-se, mas sempre voltava e olhava para cima, com um olhar invejoso e triste, para os dois grandes que tomavam seus sorvetes sossegados e solidários. Um dos pais sempre oferecia uma mordida, e a criança esticava suas mãozinhas em direção ao sorvete, mas a mão adulta se encolhia com o tesouro. Quanto mais a criança chorava, mais os pais se divertiam. Riam muito e esperavam animar o filho com as risadas: "Veja, isso não é nem tão importante e você faz todo esse papelão". Em um momento a criança sentou-se no chão, de costas para os pais, e começou a jogar pedrinhas em direção à mãe, mas de repente se levantou para se assegurar, preocupada, de que os pais continuavam ali. Depois de terminar seu sorvete, o pai lambeu o palito, entregou-o ao filho e voltou a andar. O garoto tentou lamber o pedacinho de madeira, olhou para ele e jogou-o fora; quis pegá-lo novamente, mas não o fez, e um profundo suspiro cheio de desapontamento sacudiu o seu corpinho. Então, seguiu obediente atrás dos pais.

Pareceu-me claro que o garoto não foi frustrado em seus "impulsos orais", visto que poderia ter dado diversas mordidas no sorvete, mas ele foi constantemente frustrado e magoado. Ele não foi compreendido em seu desejo de segurar o picolé como os outros, e mais: riram dele, divertiram-se com sua necessidade. Ele esteve frente a frente com dois gigantes, que, orgulhosos de sua coerência, ainda se apoiavam mutuamente, enquanto ele, completamente só com sua dor, não podia dizer nada além de "não", não conseguia se fazer entender com seus gestos (muito expressivos, por sinal). Ele não tinha advogado. Quão injusta é essa situação, uma criança ante dois adultos grandes e fortes, como se estivesse diante de um muro; chamamos de "coerência na educação" quando não deixamos uma criança se queixar de um dos pais ao outro.

Podemos nos perguntar por que esses pais se comportaram de maneira tão pouco empática. Por que nenhum deles teve a ideia de comer mais depressa ou jogar a metade do sorvete fora e dar à criança o restinho que ficou no palito? Por que os dois ficaram rindo, comeram tão devagar e se mostraram tão impassíveis diante da nítida aflição da criança? Não eram pais maus ou frios, o pai conversou de maneira muito carinhosa com o filho. Mesmo assim, mostraram falta de empatia, pelo menos naquele momento.

Só podemos decifrar essa charada quando tentamos olhar também os pais como crianças inseguras, que finalmente encontraram um ser ainda mais fraco, diante do qual se sentem muito fortes. Qual criança não sentiu, por exemplo, que seus medos foram motivo de riso, acompanhado da frase: "Não precisa ter medo disso!"? A criança sente-se envergonhada e desprezada por não conseguir avaliar corretamente o perigo e, na primeira oportunidade, passará esses sentimentos para uma criança ainda menor.

Essas experiências acontecem de todas as formas e intensidades. Em comum está o fato de o medo da criança fraca e indefesa dar ao adulto a sensação de força; de permitir que manipule o medo (no outro), algo que não pode fazer consigo.

Não se deve duvidar que dentro de 20 anos — ou mais cedo, com os irmãos — nosso garotinho vá repetir sua história do sorvete, mas nessa hora certamente ele será o dono, e o outro será a criatura pequenina, desamparada, invejosa, fraca, que ele, finalmente, nao precisara mais carregar dentro de si, mas agora pode alienar e projetar para fora.

O desprezo pelo menor e mais fraco é, pois, a melhor defesa contra a irrupção do próprio sentimento de impotência, é a expressão dessa fraqueza alienada. O forte, aquele que sabe de sua impotência, porque a vivenciou, não tem necessidade de mostrar sua força por meio do desprezo. Muitos adultos tornam-se conscientes, pela primeira vez, de seus sentimentos de impotência, ciúme e solidão por intermédio dos filhos, pois não puderam vivenciar esses sentimentos conscientemente na infância. Falei de um paciente que precisava cortejar, conquistar e abandonar mulheres obsessivamente, até que lhe foi possível vivenciar o próprio abandono contínuo por parte da mãe. Nessa época, ele se lembrou do quanto fora ridicularizado pelos pais, experienciando pela primeira vez os sentimentos de desprezo e humilhação do passado. Tudo isso estava escondido dele. Podemos nos "livrar" das velhas feridas ao delegá-las ao próprio filho. Como no exemplo anterior do sorvete: "Nós somos grandes, nós podemos, para você 'é muito frio', apenas quando for grande o suficiente você poderá se deliciar como nós".

Não é a frustração do impulso que humilha a criança, mas o desprezo de sua pessoa. O sofrimento é aumentado na medida em que os pais, enfatizando o fato de "serem grandes", estão inconscientemente se vingando de suas próprias humilhações. Nos olhinhos curiosos da criança, eles se encontram com o passado de humilhação, do qual precisam se livrar com o poder que agora detêm. Mesmo munidos da maior boa vontade, não conseguimos nos libertar de padrões aprendidos tão precocemente. Isso só acontece quando nos permitimos sentir e perceber plenamente quanto sofremos devido a esses padrões. A seguir, estaremos em condições de reconhecer quanto eram destrutivos, mesmo se os continuamos encontrando na atualidade.

Em muitas sociedades, as meninas sofrem uma discriminação adicional pelo simples fato de serem mulheres. Visto que são as mulheres que detêm o poder sobre o recém-nascido, as meninas de outrora podem passar para os filhos, na mais tenra idade, o desprezo que um dia sofreram. Mais tarde, o homem adulto idealizará sua mãe, pois todo ser humano necessita do sentimento de que foi realmente amado, e desprezará as outras mulheres, às quais dirigirá sua raiva em relação à mãe. Essas mulheres, por sua vez, adultas, humilhadas, frequentemente não têm alternativa para se livrar de seu fardo a não ser jogá-lo sobre os próprios filhos. Tudo acontece secreta e impunemente nessa instância; a criança não pode contar para ninguém; talvez o faça no futuro, por meio de uma perversão ou neurose obsessiva, cuja linguagem é suficientemente velada para não denunciar a mãe.

O desprezo é a arma dos fracos e sua defesa contra os sentimentos que fornecem pistas sobre sua história. Na raiz de todo desprezo, de toda discriminação, encontra-se, de maneira mais ou menos consciente, incontrolado, oculto, o poder do adulto sobre seu filho. À exceção dos casos de assassinato ou sérios maus-tratos corporais, esse uso irrestrito do poder é tolerado pela sociedade. O que o adulto faz com a alma de seu filho é de sua exclusiva conta, ele o trata como se fosse sua propriedade, da mesma forma que um Estado totalitário trata seus cidadãos. Mas um adulto nunca está tão exposto a essa violência como um bebê diante de pais que violam seus direitos. Enquanto não nos sensibilizarmos pelos sofrimentos das crianças, esse exercício de poder continuará despercebido, tomado como irrelevante e totalmente trivializado, por tratar-se "apenas de crianças". Em 20 anos essas crianças se tornarão adultos que farão seus filhos pagarem a conta. Eles poderão lutar de maneira engajada contra a crueldade "no mundo", quando, ao mesmo tempo, imputam-na inconscientemente às pessoas em sua volta. Isso acontece porque trazem em si um conhecimento de crueldade que permanece oculto atrás de uma infância idealizada e que leva a ações destrutivas.

É urgente eliminarmos essa "herança" de destrutividade passada de geração a geração. Uma pessoa que bate, espanca ou ofende conscientemente sabe que está machucando o outro, mesmo que não saiba por que o faz. Mas quantas vezes nossos pais, sem o saber, atingiram de maneira dolorosa, profunda e duradoura o nosso *self* que desabrochava? E quantas vezes, sem o saber, fizemos o mesmo com nossos filhos? É uma grande felicidade que nossos filhos percebam a situação e nos alertem sobre ela, nos deem a chance de ver nossas falhas e descuidos e nos desculpar por eles. Nossos filhos poderão se livrar dos grilhões do poder, da discriminação e do desprezo que têm existido por gerações. Quando o desamparo e a raiva do passado se tornarem uma experiência consciente, não precisarão mais escamotear esses sentimentos exercendo poder sobre outros.

Na maior parte das vezes, porém, os sofrimentos emocionais infantis permanecem inacessíveis, criando-se, por esse motivo, uma fonte oculta de novas e talvez sutis humilhações para as próximas gerações. Diversos mecanismos de defesa podem nos ajudar nisso, como negação (dos próprios sentimentos, por exemplo); racionalização ("Eu devo educar meu filho"); deslocamento ("Não foi o meu pai e sim o meu filho quem me machucou"); idealização ("As surras que levei do meu pai me fizeram bem"); além de vários outros, com destaque para o mecanismo de transformar o sofrimento passivo em comportamento ativo. Os exemplos que se seguem ilustram como as pessoas se defendem de suas experiências infantis de modo incrivelmente parecido, embora existam diferenças marcantes em sua estrutura de personalidade e em seu grau de instrução.

Um grego de 30 anos de idade, filho de um camponês, proprietário de um pequeno restaurante na Europa ocidental, conta com orgulho que não bebe álcool, e que deve essa abstinência ao pai. Ao chegar em casa bêbado, aos 15 anos, foi surrado tão violentamente que não conseguiu movimentar-se por uma semana. Desde lá, tem aversão ao álcool, não colocando sequer um pingo na boca, mesmo com uma profissão que o leva a estar em constante contato com bebidas. Ao saber que se casaria em breve, perguntei-lhe se também iria surrar os filhos. "Naturalmente", respondeu, "só com uma boa surra conseguimos educar os filhos; é o melhor método para obter respeito. Eu nunca fumaria, por exemplo, na presença do meu pai, embora ele próprio fume — é um sinal de respeito para com ele".

Esse homem não parecia ser nem estúpido nem antipático, mas tinha pouca escolaridade. Portanto, poderíamos nutrir a ilusão de que uma melhor educação formal pudesse contrabalançar esse processo de destruição do espírito. Mas como essa ilusão se manteria no exemplo seguinte, de uma pessoa com alto grau de escolaridade?

Nos anos 1970, um talentoso escritor tcheco promoveu uma leitura de suas obras numa cidade da ex-Alemanha Ocidental. No final, seguiu-se uma discussão com o público, durante a qual lhe foram feitas algumas perguntas sobre sua vida, às quais ele respondeu franca e abertamente. Embora tivesse apoiado a Primavera de Praga, tinha agora bastante liberdade e podia viajar ao Ocidente com frequência. A seguir, relatou o desenvolvimento de seu país nos últimos anos. Ao falar de sua infância, lembrou-se, com os olhos brilhando de satisfação, de seu pai cheio de talentos e qualidades, aquele que o incentivara espiritualmente e que fora um verdadeiro amigo. Só ao pai tinha podido mostrar seus primeiros escritos. O pai era muito orgulhoso do filho, e mesmo quando lhe batia — o que fazia constantemente como castigo por alguma traquinagem denunciada pela mãe —, orgulhava-se de o filho não chorar. Como o choro trazia palmadas extras, a criança aprendeu a engolir as lágrimas e orgulhava-se, ela própria, de poder presentear o pai que tanto o admirava por sua bravura. Esse homem falou sobre as surras constantes como se falasse sobre as coisas mais banais da vida (em realidade, para ele, era assim mesmo), e então disse: "As surras não me fizeram mal, prepararam-me para a vida, endureceram-me, ensinaram-me a aguentar. Por isso, pude me sair tão bem na profissão". Por isso, também, poderíamos acrescentar, pôde se adaptar tão bem ao regime comunista.

Contrastando com esse autor tcheco, o diretor de cinema Ingmar Bergman falou de sua própria infância durante um programa de televisão, com muito mais consciência e compreensão (mesmo que apenas intelectual) sobre as complicações dessa época, que descreveu como uma história de humilhações; a humilhação era a base de sua educação. Assim, se molhasse as calças, por exemplo, precisaria usar o dia inteiro um vestido vermelho, a fim de que todos ficassem sabendo do que fizera e se envergonhasse de si mesmo. Bergman era o filho mais novo de um pastor protestante. Nessa entrevista, relatou uma cena que se repetiu várias vezes em sua infância: seu irmão mais velho é surrado nas costas pelo pai. A mãe cuida das costas ensanguentadas com um algodão. Ele está sentado, assistindo a tudo.

Bergman conta esse episódio sem agitação aparente, quase frio. É possível imaginá-lo como criança, sentado e olhando. Com certeza, não fugiu, não fechou os olhos, não gritou. Tem-se a impressão de que o fato realmente ocorreu, mas ao mesmo tempo era uma memória que encobria o que ele próprio passou. Custamos a crer que esse pai tivesse surrado apenas seu irmão.

Muitas pessoas estão convencidas de que apenas seus irmãos foram humilhados. Só na terapia reveladora conseguem se lembrar de sentimentos de raiva, impotência, ódio e indignação, de como se sentiram humilhados e abandonados quando foram surrados pelo amado pai.

Bergman, entretanto, tinha outras possibilidades, além da projeção e da negação, de lidar com seu sofrimento — ele podia fazer filmes e delegar os sentimentos repelidos aos espectadores. É concebível que nós, como plateia de cinema, tenhamos sentido as emoções que o filho de tal pai não pôde viver abertamente em sua infância, guardando-as dentro de si. Sentamo-nos diante da tela como o garotinho de outrora, somos confrontados com toda a crueldade que "nosso irmão" recebe e não somos (ou nem queremos ser) capazes de absorver toda essa brutalidade com emoções autênticas. Nós as rechaçamos. Quando Bergman se lamenta de não ter percebido o nazismo antes de 1945, embora tivesse viajado diversas vezes para a Alemanha durante o período de Hitler, isso parece ser uma consequência de sua infância. Ele respirava crueldade quando criança. Como poderia tê-la percebido?

Por que destaquei três exemplos de homens que apanharam? Serão situações-limite? Quero considerar os efeitos da surra? De modo algum. Podemos acreditar que foram exceções crassas. Escolhi esses exemplos, em parte, porque não me foram confiados como segredos, são públicos e, principalmente, para mostrar que mesmo os mais severos maus-tratos podem permanecer ocultos graças à forte tendência idealizadora da criança. Júri, promotor, sentença — nada disso existe, tudo permanece oculto na escuridão do passado e, quando os fatos se tornam conhecidos, são chamados de boas ações. Se isso acontece nos casos de maus-tratos físicos graves, como é possível identificar as crueldades emocionais, que são por si mesmas menos visíveis e muito mais polêmicas? Quem realmente levará a sério as sutis humilhações que aconteceram no exemplo do garoto com o sorvete? Em qualquer terapia feita com adultos, entretanto, elas se manifestarão quando os pacientes aprenderem a permitir a existência dos seus sentimentos.

A exploração dos filhos pelos pais leva a uma longa série de maus-tratos e humilhações, sexuais ou não, que mais tarde, já adultos (com frequência, eles mesmos mães ou pais), os pacientes descobrirão na terapia depois de muito esforço. Um pai que cresceu em meio a um ambiente puritano poderá ser muito inibido em sua vida conjugal e aproveitar o banho de sua filhinha, por exemplo, para ousar pela primeira vez olhar propriamente o genital feminino, brincar com ele e excitar-se com isso. Uma mãe que, abusada sexualmente quando menina, assustada e humilhada por um pênis ereto, desenvolveu medo da genitália masculina poderá controlar esse medo pela primeira vez com seu filhinho. Depois do banho, por exemplo, ela poderá "secá-lo" de tal forma que ele tenha uma ereção — inofensiva e não ameaçadora para ela. Ela poderá massagear o pênis do garoto até a puberdade para "tratar de sua fimose". Protegida pelo amor incondicional que todo filho tem pela mãe, ela poderá continuar com sua legítima e hesitante exploração sexual, interrompida tão cedo.

Mas o que significa para o filho ser explorado por pais inibidos sexualmente? Toda criança procura contato amoroso e é feliz ao recebê-lo. Ao mesmo tempo, porém, ficará insegura se lhe forem despertadas sensações que não ocorreriam espontaneamente nesse estágio de seu desenvolvimento. Essa insegurança é ainda aumentada pelo fato de sua própria atividade autoerótica ser censurada pelos pais por meio de palavras ou olhares.

Fora do âmbito sexual, existem outros meios de violentar uma criança: por exemplo, a doutrinação que tenha subentendida uma forma de educação tanto "antiautoritária" quanto "rígida". Nenhuma das duas leva em conta as necessidades da criança em seu estágio particular de desenvolvimento. À medida que a criança é vista como propriedade, com a qual tentamos atingir algum objetivo, ou que se exerce poder sobre ela, seu crescimento vital é violentamente interrompido.

É um dos lugares-comuns de nossa educação que primeiro cortamos as raízes da vida e depois tentamos reconstituir artificialmente suas funções originais. Dessa forma, por exemplo, a curiosidade natural das crianças é abafada ("certas perguntas não se fazem"), e depois, quando faltar o estímulo ao aprendizado, se oferecem aulas particulares para sanar as dificuldades na escola.

Encontramos um exemplo semelhante no comportamento de pessoas viciadas, que precisaram e conseguiram reprimir seus sentimentos quando crianças. Frequentemente, com o auxílio das drogas ou do álcool, elas procuram recuperar a própria intensidade vital — pelo menos por um curto período (cf. Alice Miller, *Am Anfang war Erziehung,* p. 133-168).

Se queremos evitar a violentação e a discriminação da criança, primeiro temos de ter uma consciência clara desses perigos. Só se nos tornarmos sensíveis aos refinados e sutis meios pelos quais uma criança pode ser humilhada poderemos ter a esperança de desenvolver o respeito de que ela necessita, desde o primeiro dia de vida, para se desenvolver emocionalmente. Há diversos caminhos para se atingir essa sensibilidade, como, por exemplo, observar crianças que nos são estranhas e tentar uma empatia com elas na situação em que se encontram — e, acima de tudo, desenvolver empatia pela nossa própria história.

O DESPREZO NO ESPELHO DA TERAPIA

Somos capazes de representar uma história que desconhecemos? Por mais impossível que possa parecer, isso acontece com frequência, geralmente resultado de uma ação cega, e permanece sem qualquer efeito. Para que essa história possa ser compreendida e trabalhada, precisamos do instrumental adequado. Encontramos nossa história ao vivenciar, de maneira fragmentada, nossos próprios sentimentos e necessidades, a partir do momento em que os aceitamos, respeitamos e validamos.

O mesmo é válido para o terapeuta. Durante seminários e em sessões de supervisão, colegas me perguntam como devemos lidar com sentimentos "indesejáveis", como a raiva que os pacientes às vezes despertam no terapeuta. Um profissional sensível certamente sentirá essa irritação. A pergunta é: deve reprimi-la, a fim de não rejeitar o paciente? Mas o paciente sente a raiva reprimida e fica confuso. O terapeuta deve expressá-la? Nesse caso, o paciente poderá ficar amedrontado.

Os questionamentos sobre o que fazer com a raiva e outros sentimentos indesejáveis perdem sua propriedade quando partimos do pressuposto de que todos os sentimentos que o paciente desperta no terapeuta fazem parte de sua tentativa inconsciente de contar e, ao mesmo tempo, esconder sua história. O paciente não tem outra possibilidade para contá-la a não ser dessa forma inconsciente. Assim, todos os sentimentos que desperta no terapeuta remetem a essa história oculta, e o profissional não deve reprimi-los; deve, ao contrário, ser capaz de aceitá-los e explicá-los para si. A partir daí, ele poderá descobrir até que ponto os sentimentos despertados pelo paciente dizem respeito à sua própria história reprimida e como é possível trabalhá-los. Isso vale também para terapeutas que trabalham com viciados e outras vítimas de abusos físicos e sexuais na infância. Em geral, esses profissionais permitem apenas um leve indício de medo, ocultando-o hermeticamente de si mesmos com teorias abstratas, ideologias, menosprezos ou comportamentos autoritários.

A ARTICULAÇÃO DANIFICADA DO *SELF* NA COMPULSÃO DE REPETIÇÃO

A conquista da capacidade de experienciar sentimentos livra o paciente de desejos e necessidades antigos e reprimidos, que ainda não podem ser supridos sem uma autopunição ou que nunca serão satisfeitos — porque se referem a situações do passado. Esse segundo aspecto fica claro no exemplo do desejo urgente e inadiável de ter um filho, que, entre outros, expressa a vontade da presença de uma mãe disponível.

Há também desejos que podem — e devem — ser supridos no presente, aparecendo constantemente durante a terapia. Entre esses está, por exemplo, a necessidade central de todo ser humano de se manifestar livremente, isto é, de expor quem realmente é, seja por meio de palavras, de gestos, do comportamento, da arte; por meio de toda e qualquer expressão autêntica, que se inicia no choro do recém-nascido.

Pessoas que tiveram de esconder seu verdadeiro *self* diante de outros e de si mesmas sentem-se compelidas a derrubar as antigas muralhas, mesmo que essa saída inicial possa lhe causar muito medo. O primeiro passo não leva necessariamente à libertação, mas sim à repetição dos medos da constelação infantil, quer dizer, à vivência dos sentimentos de vergonha atormentadora e dolorosa nudez que acompanham o "mostrar-se". Esses medos do desnudamento referem-se àqueles do passado. Quando são vivenciados, compreendidos e clarificados em sua relação com as situações anteriores, descobre-se como se justificavam no passado. Mesmo quando esse trabalho interno não for feito, o paciente continuará a procurar, como um sonâmbulo, por pessoas que, à semelhança de seus pais, não têm possibilidade de entendê-lo (mesmo que por outros motivos). E exatamente com essas pessoas o paciente se esforçará para ser compreendido, para tornar possível o impossível.

Em determinado estágio de sua terapia, Linda, 42 anos, apaixonou-se por um homem mais velho, inteligente e sensível, mas que, à exceção do erotismo, rejeitava tudo que não podia compreender intelectualmente. Para esse homem ela escreveu longas cartas, tentando explicar os caminhos que trilhara até então na terapia. Ela foi capaz de não enxergar quaisquer dos sinais de que não estava sendo compreendida, reforçando seus esforços explicativos, até que foi forçada a reconhecer que, mais uma vez, encontrara um substituto para seu pai e, por isso, fora incapaz de abandonar sua esperança de ser compreendida. O despertar trouxe-lhe, num primeiro momento, sentimentos agudos de vergonha, que a acompanharam por um bom tempo. Um dia, ela disse: "Sinto-me tão ridícula, como se eu tivesse falado com uma parede e esperado que ela me respondesse, como uma criança idiota". Perguntei-lhe: "Você riria ao ver uma criança que tivesse de dividir sua angústia com uma parede, por não ter mais ninguém?" O choro compulsivo e desesperado que se seguiu à minha colocação abriu-lhe o acesso para uma parte de sua antiga realidade, impregnada por uma solidão infinita. Ao mesmo tempo, finalmente a livrou dos sentimentos torturantes de vergonha.

Só muito depois, Linda pôde compreender a experiência da "parede" no contexto de sua vida. Essa mulher, que normalmente era capaz de se expressar com bastante clareza, por muito tempo o fez de modo tão estranho e atropelado que eu já não conseguia compreender os detalhes de sua história, talvez como os pais, em sua época. Passava por momentos de súbita raiva e ódio, repreendendo-me por minha indiferença e falta de compreensão. Ela mal podia me reconhecer, embora eu não tivesse mudado. Dessa forma, ela vivia em seu contato comigo o estranhamento pela mãe, que tinha passado seu primeiro ano de vida numa creche e não tinha sido capaz de oferecer intimidade para a própria filha.

Linda sabia disso havia muito tempo, mas permanecia como um conhecimento racional. A compaixão que sentia pela mãe também a impedia de conscientizar-se e perceber sua própria necessidade. A imagem da "pobre mãe" bloqueou seus próprios sentimentos. Apenas com as censuras, primeiro dirigidas a mim e depois à mãe, ela pôde perceber o imenso desespero deixado pelo desejo nunca realizado por intimidade. As lembranças reprimidas da mãe distante, reservada, mantiveram na filha a sensação da parede que a separava tão dolorosamente das outras pessoas. As severas censuras, finalmente, a libertaram também de sua compulsão por repetir, que consistia em sempre procurar um parceiro que não a compreendia e sentir-se irremediavelmente dependente dele.

A PERPETUAÇÃO DO DESPREZO NA PERVERSÃO E NA NEUROSE OBSESSIVA

Se partirmos da premissa de que todo desenvolvimento emocional de uma pessoa (e seu equilíbrio, que é baseado nele) depende de como seus pais foram receptivos e responderam às manifestações e necessidades que ela expressou nos seus primeiros dias e semanas de vida, então temos de assumir que foram colocadas as primeiras balizas para uma tragédia futura. Se uma mãe foi incapaz de corresponder à função de espelho, foi incapaz de se alegrar com a existência de seu filho, impondo-lhe determinado comportamento, então, uma primeira seleção de valores foi colocada em ação: diferenciou-se o "bom" do "mau", o "feio" do "bonito", o "certo" do "errado", e essa seleção foi internalizada pela criança. A partir dessa base se darão as próximas internalizações dos valores dos pais.

Nessas circunstâncias, um recém-nascido precisará aprender que há algo nele de que a mãe "não precisa". Por exemplo, espera-se que uma criança controle suas necessidades fisiológicas o quanto antes, aparentemente para não incomodar os outros, mas, na realidade, para não incomodar as repressões dos pais — eles mesmos, quando crianças, tiveram medo de "incomodar", e mantiveram essa experiência reprimida.

Marie Hesse, mãe do escritor [alemão] Hermann Hesse, descreve em seus diários como seus próprios desejos foram domados quando ela tinha 4 anos. Quando seu filho fez 4 anos, ela sofreu muito com o comportamento provocativo do garoto, enfrentando-o com diversos graus de êxito. Aos 15 anos, Hermann Hesse foi enviado para uma clínica de doentes mentais e pessoas com epilepsia da cidade de Stettin, a fim de que "finalmente fosse posto um fim em suas provocações". Em uma carta escrita em Stettin, comovente e raivosa, Hesse escreveu a seus pais, entre outras coisas: "Se eu fosse um hipócrita, e não um ser humano, talvez pudesse ter esperanças na sua compreensão". Visto que a possibilidade de alta só seria considerada depois de uma "melhora", o garoto, então, "melhorou". A negação e a idealização foram restauradas num poema escrito posteriormente e dedicado aos pais: Hesse se culpa por ter dificultado a vida dos pais devido ao "seu caráter".

O sentimento de culpa, opressor, de não ter correspondido às expectativas dos pais acompanha muitas pessoas por toda a vida — é mais forte que qualquer *insight* intelectual de que uma criança não pode ter a tarefa de suprir as necessidades dos pais. Tal sentimento de culpa não se dobra ante um argumento qualquer, pois está ancorado num passado longínquo, retirando dali sua intensidade e resistência. Só na terapia reveladora é possível aliviá-lo aos poucos.

Talvez a maior ferida — não ter sido amado pelo que se era realmente — não se cure sem um trabalho de luto. Ela pode ser encoberta ou reprimida com maior ou menor grau de sucesso (como na grandiosidade e na depressão), ou irromper constantemente na compulsão por repetir. Essa última possibilidade aparece na neurose obsessiva e na perversão. As reações desdenhosas dos pais em relação ao comportamento da criança ficam registradas nela, arquivadas em seu corpo. Sentimentos de decepção e estranhamento, rejeição e repulsa, indignação, medo e pânico, frequentemente, são provocados na mãe por emoções e sentimentos naturais das crianças, como, por exemplo, os toques autoeróticos, a descoberta do próprio corpo, o ato de urinar ou defecar por curiosidade ou por raiva em momentos de decepção e fracasso. Mais tarde, todas essas experiências ficarão indissociáveis do olhar decepcionado da mãe, mesmo se transferidas para outras pessoas. Elas impelem a criança de outrora a comportamentos obsessivos e a perversões, nas quais as situações traumáticas do passado podem ser reproduzidas, mas devem permanecer irreconhecíveis aos envolvidos.

O paciente ficará aterrorizado ao revelar ao terapeuta seu comportamento sexual ou autoerótico secreto até então. Naturalmente, ele pode contar isso sem emoção, dar uma simples informação, como se falasse de outra pessoa. Mas esse tipo de relato não o ajuda a quebrar sua solidão, não o leva à realidade de sua infância. Apenas quando se permitir aceitar e vivenciar inclusive os sentimentos de vergonha e de medo descobrirá como se sentiu quando criança. O mais inocente comportamento o fazia sentir-se mesquinho, sujo ou totalmente aniquilado. E ele mesmo se surpreende com a duração desse sentimento reprimido de vergonha, o quanto teve seu lugar ao lado de suas opiniões tolerantes e avançadas sobre sexualidade. Essas experiências mostram ao paciente que sua adaptação precoce por meio da negação de algumas partes de si mesmo não era sinônimo de covardia, mas sua única chance de sobreviver, sua única possibilidade de escapar do medo da destruição iminente.

A própria mãe pode ser tão ameaçadora? Sim, se ela sempre teve muito orgulho de ter sido uma filha-modelo, que com 6 meses não se molhava, com 1 ano não se sujava, com 3 anos já era a "mãe" do irmãozinho mais novo etc. Agora, com o próprio filho recém-nascido, ela enxerga a parte reprimida e nunca vivenciada de seu *self,* cuja irrupção à consciência tanto teme; ao mesmo tempo, enxerga também seu irmãozinho, do qual cuidou ainda tão nova, e talvez somente a partir de agora o inveje e o odeie na figura de seu próprio filho. Dessa forma, ela normalmente educa seu filho por meio de *olhares.*

A criança vai crescendo e não pode deixar de viver sua verdade, exprimi-la de alguma forma, mesmo que às escondidas. Uma pessoa pode, assim, estar totalmente adaptada às exigências de seu meio e ter desenvolvido um falso *self,* mas em suas perversões ou suas obsessões, porém, permite ainda a sobrevivência — atormentada — de uma parte de seu verdadeiro *self*. Este último "sobrevive" nas mesmas condições em que a criança vivia com sua mãe desapontada, cuja imagem agora está reprimida. A perversão e as obsessões encenam sempre o mesmo espetáculo: é necessária uma mãe desapontada antes que a satisfação de um impulso seja possível, isto é, o orgasmo (por exemplo, com um fetiche) só é atingido num clima de *autodesprezo;* uma crítica só pode ser expressa por meio de fantasias obsessivas, absurdas, ameaçadoras.

A melhor maneira de conhecermos a tragédia oculta de certos relacionamentos entre mães e filhos nos quais não ocorreu o *bonding* é testemunhar a força destruidora da necessidade de repetição, e ouvir, no episódio, uma mensagem muda, inconsciente, do antigo drama.

Michael, 32 anos, sofria de uma perversão e carregava dentro de si a lembrança inconsciente da rejeição por parte de sua mãe. Sem saber o motivo, temia constantemente a rejeição por parte de outras pessoas. Sentia-se compelido a tomar certas atitudes que seu círculo e a sociedade desaprovavam e rejeitavam, e temia o castigo. Se, de súbito, a sociedade passasse a honrar suas perversões (como acontece em determinados grupos), provavelmente ele teria de mudar suas compulsões, mas não se libertaria. O que ele queria, na verdade, não era se libertar deste ou daquele fetiche, mas encontrar o olhar horrorizado e desapontado da mãe. Aquele que viu em seu terapeuta. Ele precisou provocá-lo de todas as maneiras, fazer que sentisse repugnância, estranhamento e nojo, pois não era capaz de usar palavras para dizer o que se passara no início da infância.

Mas essas informações que são passadas por meio da provocação não lhe ajudam em nada enquanto os sentimentos da infância estiverem bloqueados e as consequentes relações permanecerem ocultas. Com a vivência dos sentimentos reprimidos, com a irrupção de lembranças trágicas, Michael pôde abdicar do comportamento cego e autodestrutivo, abrindo espaço para um luto autêntico, profundo e desprotegido. Quando a ferida pôde ser vivenciada, as distorções tornaram-se desnecessárias. Fica muito claro quão enganosa é a tentativa de mostrar ao paciente seus conflitos instintivos, quando ele foi *adestrado,* desde cedo, para não *sentir nada.* Como os desejos e os conflitos instintivos podem ser vivenciados sem sentimentos? O que significam na ausência de sentimentos como raiva, abandono, ciúme, solidão, amor?

Nos últimos anos, recebi inúmeras cartas de leitores que diziam ter sofrido, quando jovens, abusos sexuais, e ter sido seduzidos e emocionalmente explorados por homens adultos, mas que nunca tinham reconhecido a situação como tal. As lembranças reprimidas da infância os haviam cegado. Apenas depois de ler *Du sollst nicht merken* [*Não perceberás*] surgiram-lhes a dúvida e a "suspeita". Pela primeira vez na vida, ousaram questionar o comportamento e o caráter do criminoso. Até então, não haviam se apercebido de terem sido traídos, explorados no desejo por amor e atenção, pois não podiam sentir o mal que lhes era imputado: foi esse sentir que precisaram desaprender na infância. A única saída que permaneceu aberta foi a idealização do sedutor, do grande amigo, salvador, mestre, e uma dependência de determinado comportamento sexual, de drogas ou de ambos. A luta pela aceitação social de alguns vícios, de caráter sexual ou não, é um dos muitos caminhos trilhados na esperança de se evitar um confronto com a própria história.

Há muitas pessoas que tiveram suas necessidades de proteção, de cuidados, de carinhos, seu desejo por amor sexualizados muito cedo. Elas apresentam diferentes formas de fixação sexual, sem jamais terem encarado a própria história. Essas pessoas formam grupos, aceitam sem questionar teorias críticas que legitimam sua fixação e estão convencidas de dividir com os outros um conhecimento de base científica, quando na verdade apenas enfeitam sua história reprimida. Enquanto se mantiverem nessa postura, sem qualquer tipo de escrúpulos, estarão prejudicando outras pessoas, do mesmo modo que foram prejudicadas no passado.

Penso que o futuro (a terapia) dessas pessoas e de suas vítimas será ameaçado por todo tipo de ideologia. Elas deveriam, o quanto antes, ser informadas de que é possível descobrir a própria história, trabalhá-la e se livrar das fixações, que podem ser destrutivas tanto para os outros quanto para si mesmas. É impressionante ver quão frequentemente o comportamento sexual *pseudoimpulsivo* cessa quando o paciente começa a viver os *próprios* sentimentos e a tomar consciência de seus *autênticos* desejos.

A seguinte citação foi extraída de uma reportagem sobre a zona de prostituição de Hamburgo, publicada na revista *Stern* de 8 de junho de 1978: "Você experimenta o sonho masculino, tão sedutor quanto absurdo, de ser mimado pelas mulheres como um bebê e, ao mesmo tempo, dominá-las como um sultão". Esse "sonho masculino", na verdade, não é absurdo, mas nasce da mais autêntica e *legítima necessidade dos bebês*. Nosso mundo certamente teria outra cara se a maioria dos bebês tivesse a chance de dispor da mãe como sultões e ser mimada por ela, sem ter de se importar com as necessidades dela tão cedo.

O repórter perguntou a alguns dos clientes regulares o que lhes dava mais prazer nesses estabelecimentos, resumindo as respostas com as seguintes palavras: "A *disponibilidade, a entrega* das garotas: elas não exigem declarações de amor como as namoradas o fazem". Não há *obrigações, dramas psicológicos ou dores de consciência* depois do prazer. "Você paga e está livre." "Mesmo (e especialmente) *a humilhação* que tais encontros sempre acarretam para o cliente *pode aumentar sua excitação* — mas sobre isso não se fala muito" (grifos meus).

A humilhação, o autodesprezo e o estranhamento de si mesmo indicam o desprezo na situação primária e, por meio da compulsão por repetir, produzem as mesmas condições trágicas para o prazer. Dessa forma, a compulsão por repetir representa uma chance. Ela pode ser resolvida na medida em que os indícios são percebidos e trabalhados na terapia reveladora. Se a chance não for aproveitada, se o testemunho da compulsão por repetir for ignorado, esta poderá persistir a vida inteira sob diversas variações, sem nunca ser compreendida.

Algo inconsciente não pode ser abolido por proclamações ou reclamações. É possível, contudo, desenvolver uma sensibilidade para reconhecer o fato, vivenciá-lo conscientemente e, dessa forma, mantê-lo sob controle. Uma mãe não consegue perceber quanto seu filho se sente humilhado, desprezado e rebaixado a seu lado se ela própria nunca viveu esses sentimentos conscientemente, mas procurou defender-se deles pela ironia. O mesmo pode ser observado na maioria dos psiquiatras, psicólogos clínicos e terapeutas. Eles não se utilizam de expressões como "ruim", "sujo", "mau", "egoísta", "corrompido", mas falam entre si sobre pacientes "narcísicos", "exibicionistas", "destrutivos", "regressivos" ou "borderline", e não percebem que essas palavras carregam um sentido depreciativo. Em seu vocabulário abstrato, no seu *comportamento objetivo,* até na formulação de teorias e no simples diagnosticar é possível encontrar algo em comum com os olhares de desprezo da mãe — registrados na criança de 3 anos, adaptada, que existe dentro deles.

Não é raro o terapeuta proteger sua superioridade ante o comportamento desdenhoso de um paciente por meio de teorias. Mas o verdadeiro *self* do paciente não o visitará nesse covil. Permanecerá escondido como fazia diante do olhar decepcionado da mãe. Porém, se for possível, graças à nossa sensibilidade, reconhecer atrás de cada expressão de desdém do paciente os pedaços da história da criança desprezada, será mais fácil ao terapeuta não se sentir atacado e abandonar sua necessidade de se esconder atrás das teorias. O conhecimento teórico é importante. Mas a teoria *certa* não tem função defensiva para o terapeuta. Ela não é sucessora de pais rígidos, controladores.

A "DEPRAVAÇÃO" NO MUNDO INFANTIL DE HERMANN HESSE COMO EXEMPLO DE "MAL" CONCRETO

É muito difícil descrever como alguém lidou com o desprezo sofrido quando criança, especialmente o desprezo por sua sensualidade e alegria de viver, sem fornecer exemplos concretos. É claro que seria possível reproduzir, a partir de diversos modelos teóricos, a "defesa ao afeto", mas isso não reconstituiria o clima emocional que, por si só, evoca o sofrimento da pessoa, que possibilita a empatia do leitor. Ao usar representações puramente teóricas, permanecemos emocionalmente "do lado de fora"; podemos falar "dos outros", ordená-los, agrupá-los, rotulá-los, classificá-los, diagnosticá-los e discuti-los com o jargão profissional que não entendem. Darei exemplos de como é possível eliminar esse jargão.

Apenas a vida real pode mostrar como alguém vivenciou o mal concreto de sua infância como "o mal em si". É só nas histórias individuais que podemos perceber como as crianças não conseguem distinguir as compulsões dos pais como tais, e que essa cegueira pode se prolongar, sem terapia, por toda uma vida, mesmo se insistirmos em escapar dessa prisão interior.

Decidi-me por apresentar os fatos usando o exemplo de Hermann Hesse. Esse exemplo tem a vantagem de ser de conhecimento geral e, além disso, divulgado pelo próprio autor.

No início de sua obra *Demian,* Hermann Hesse descreve a virtude e a pureza de um lar onde não há espaço nem ouvidos para as manhas de uma criança. (Não é difícil reconhecer a própria casa dos pais do autor, o que ele confirma indiretamente.) Dessa forma, a criança permanece com seu pecado e sente-se depravada, perversa e proscrita, embora ninguém a repreenda (pois ninguém conhece os "fatos terríveis") e todos sejam simpáticos e amistosos com ela.

Muitas pessoas conhecem tal situação. A forma idealizada de descrever tal "pureza" familiar também não nos é estranha, e revela tanto o ponto de vista da criança como também a crueldade oculta dos métodos educacionais que tão bem conhecemos. Escreveu Hesse em *Demian*:

> Como quase todos os pais, também os meus não eram ajuda para os novos problemas da puberdade, os quais jamais foram mencionados. Tudo o que fizeram foi apoiar, *de maneira extremada e incansável,* minhas tentativas de negar a *realidade* e mantê-la fechada dentro de um universo infantil que me parecia cada vez mais irreal e *desprezível.* Eu não sei se os pais podem ajudar muito nesse assunto, e não recrimino os meus. Era um problema que eu tinha que resolver e encontrar meu caminho; fiz isso pessimamente, como a maioria das crianças bem-criadas. (grifos meus)

Os pais, para uma criança, parecem estar livres de desejos instintivos, porque têm meios e possibilidades para esconder suas atividades sexuais, enquanto a criança está constantemente sob controle.[4]

A primeira parte de *Demian* parece-me muito evocativa, mesmo para pessoas que cresceram em ambientes diferentes. Creio que são os valores muito peculiares de Hesse que fazem que as sequências posteriores do romance se tornem difíceis. Provavelmente, ele os recebeu de seus pais e avós, todos missionários. Esses valores estão presentes em muitas de suas histórias, mas podem ser mostrados mais facilmente em *Demian*.

Embora Sinclair tivesse já sua *própria experiência de crueldade* (a chantagem que sofreu de um garoto mais velho), essa não tem efeito, não lhe dá a chave para uma melhor compreensão do mundo. Para ele, o "mal" é a "depravação" (eis a linguagem missionária). O mal não é representado pelo ruim, mas por trivialidades, como, por exemplo, beber em uma taverna.

O pequeno Hermann recebeu dos pais esse conceito particular de coisa ruim como "depravação". É por isso que tudo que acontece depois do aparecimento do deus Abraxas, que veio "unir o divino e o satânico", soa de maneira tão estranha, não nos toca mais. O mal deve ser unido como que artificialmente ao bem. Tem-se a impressão de que, para o menino, isso é algo estranho, ameaçador, acima de tudo desconhecido; algo de que ele não consegue se livrar, pois

---

4. Hesse escreve em seu conto "Alma de criança": "Os adultos agiam como se o mundo fosse perfeito e eles, semideuses; porém nós, crianças, nada além de lixo e párias. [...] Passados alguns dias, algumas horas, sempre acontecia qualquer coisa indevida, uma infelicidade, algo que entristecia, envergonhava. De súbito e inevitavelmente, despencávamos sempre das decisões e dos juramentos mais obstinados e nobres para o pecado e para a bandalheira, de volta ao cotidiano e às ações costumeiras!... Por que era assim? Os outros faziam diferente?"

o "depravado" está relacionado com o medo e o sentimento de culpa e carregado emocionalmente. Ele quer "matá-lo" dentro de si: "Mais uma vez eu estava tentando extenuadamente construir um 'mundo de luz' para mim mesmo, a partir de pedaços de um período de vida esfacelado; mais uma vez eu vivia para uma única necessidade, *banir o escuro e o mal de mim e permanecer na luz*, no colo dos deuses" (grifos meus).

Na exposição dedicada a Hesse em Zurique, no ano de 1977, pude ver sobre a cama do pequeno Hermann um quadro. No lado direito, vemos o "bom" caminho para o céu, repleto de espinhos, dificuldades e sofrimentos. No lado esquerdo do quadro, o caminho prazeroso, agradável, que inevitavelmente leva ao inferno. As tavernas têm um lugar de destaque nesse segundo caminho — provavelmente, as mulheres queriam manter o marido e os filhos longe desses lugares. Essas tavernas também desempenham um papel importante em *Demian*. O fato é tão mais grotesco, pois Hesse não tinha ímpetos de se embebedar em tais tavernas, embora certamente quisesse se livrar da estreiteza do sistema de valores dos pais.

Toda criança forma sua primeira imagem do que é "mau" de maneira muito concreta, a partir das proibições, dos tabus e dos medos de seus pais. Ela tem um longo caminho a percorrer até livrar-se dessa imagem, até descobrir o próprio "mal" em si, e não mais vivenciá-lo como algo "depravado" ou "ruim", porque instintivo, mas como uma reação latente e compreensível perante sofrimentos que precisou reprimir quando criança. Ao chegar à idade adulta, ela terá a possibilidade de descobrir os motivos desses sofrimentos e livrar-se dessa reação latente.

Terá ainda outra possibilidade: desculpar-se diante de outras pessoas pelo que eventualmente lhes causou, de maneira inconsciente, devido a essa latência. No fundo, ela não deve a explicação aos outros, mas a si mesma, pois só podemos nos livrar do sentimento de culpa que carregamos desde a infância se não jogarmos outra carga de culpa sobre nós. O seguinte trecho de *Demian* mostra quão intensamente a perda do "amor" dos pais ameaçou a procura de Hesse por seu verdadeiro *self*.

> Lá onde oferecemos amor e respeito, não por hábito, mas pela nossa própria vontade; onde fomos discípulos e amigos do fundo do nosso coração — lá se encontra um instante amargo e terrível, quando subitamente percebemos que nossa tendência interior é nos afastar daquilo que nos é mais caro. Lá, cada pensamento que rejeita o amigo e o mentor atinge nosso coração com uma *seta envenenada; lá,* todo movimento de defesa se volta à *própria face.* Lá, as palavras "deslealdade" e "ingratidão" atingem aquelas pessoas que creem carregar uma moral válida na forma de *ofensas e estigmas;* lá, o *coração assustado foge aterrorizado de volta aos doces vales da infância virtuosa,* incapaz de crer que inclusive essa ligação precisa ser rompida, cortada.

E, em "Alma de criança", lemos:

> Se eu tivesse de reduzir todos os sentimentos e suas defesas doloridas a um *sentimento único,* definido por uma única palavra, só poderia pensar em medo. Era medo, medo e incerteza o que eu sentia em todos os momentos da minha felicidade infantil destroçada: *medo da punição, medo da própria consciência, medo das agitações de minha alma, as quais eu considerava proibidas e criminosas.* (grifos meus)

Nesse conto, Hesse descreve com muita delicadeza e compreensão os sentimentos de um garoto de 11 anos que acabara de roubar alguns figos secos do quarto de seu pai querido, para ter algo dele junto de si. Na sua solidão, ele é torturado por sentimentos de culpa, medo e desespero, que finalmente são substituídos pela mais profunda humilhação e vergonha quando "sua maldade" é descoberta. A força dessa descrição leva-nos à suposição de que se refere a um episódio real da infância de Hesse. Uma anotação de sua mãe em 11 de novembro de 1889 transforma essa suposição em certeza: "Descobrimos que Hermann *roubou os figos*" (grifos meus).

A partir do diário da mãe e da intensa correspondência dos pais com diversos parentes (pública desde 1966), é possível adivinhar o sofrimento do garoto. Como tantos meninos de sua idade, Hermann não era um problema para os pais apesar de sua riqueza interior, mas por causa dela.

Com frequência, os dotes de uma criança (intensidade dos sentimentos, profundidade, curiosidade, inteligência, atenção) confrontam os pais com conflitos que eles há muito tentam manter à distância por meio de regras e normas de conduta. Dessa maneira, essas normas de conduta devem ser honradas à custa do desenvolvimento do filho. Então, chegamos à situação aparentemente paradoxal, em que mesmo os pais que se orgulham e até admiram seus filhos talentosos são forçados a desprezar, reprimir, destruir o que essas crianças têm de *melhor* e mais autêntico. Duas observações da mãe de Hesse ilustram como esse trabalho de destruição pode ser combinado com o aparente cuidado amoroso:

1. (1881): "Hermann frequenta o maternal; seu temperamento forte nos preocupa". (1966, p. 10). A criança tinha 3 anos.

2. (1884): "As coisas vão bem melhor com o pequeno Hermann, cuja educação tanto nos preocupava. De 21 de janeiro a 5 de junho ele ficou o tempo todo na escola de garotos e passou apenas os

domingos conosco. Lá ele se comportou bem, mas voltou para casa pálido, magro e *deprimido. Os resultados foram decididamente bons e salutares.* É muito mais fácil lidar com ele agora". (1966, p. 13-14, grifos meus). A criança tem 7 anos nesse momento.

Antes disso (14 de novembro de 1883), seu pai, Johannes Hesse, escreveu:

> Hermann, quase um modelo de bom comportamento na escola de garotos, está impossível. Por mais humilhante que isso seja para nós, estou pronto a considerar se não devíamos encaminhá-lo a uma instituição ou a outro lar. Somos muito nervosos e muito fracos para ele, e toda a rotina da casa não é suficientemente disciplinada e constante. Parece que ele tem talento para qualquer coisa: observa a lua e as nuvens, improvisa longos trechos no órgão, desenha maravilhosamente com o lápis ou a pena, é capaz de cantar muito bem quando quer e nunca perde uma rima. (cf. Hermann Hesse, *Kindheit und Jugend*, 1966, p. 13, grifos meus)

Na imagem intensamente idealizada de sua infância e de seus pais que encontramos em *Hermann Lauscher*,[5] Hesse abandonou por completo a criança originalmente rebelde, "difícil" e, para seus pais, desconfortável. Sua grande e genuína busca pelo verdadeiro *self* não se completou. A

---

5. Se ainda agora a infância me toca o coração, então é como uma imagem de moldura dourada, com tons carregados, na qual distingo principalmente uma enormidade de castanheiras e amieiros, um sol da manhã indescritivelmente agradável e um fundo de montanhas maravilhosas. Todas as horas de minha vida que um descanso curto, esquecido do mundo, me foi permitido; todas as caminhadas solitárias que fiz nas montanhas, quando uma pequena e insuspeitada alegria ou um amor sereno me afastam o ontem e o amanhã, não sei defini-las melhor do que quando as comparo com esse quadro verde de minha vida mais jovem. (*Ges. Wei-ke 1* [Obras Reunidas], 1970, p. 218.)

evidência de que a Hesse não faltava coragem, talento ou profundidade de sentimentos está clara em suas obras e em algumas de suas correspondências, em especial na irritadiça carta de Stettin, escrita quando tinha 15 anos. Mas a resposta do pai (cf. 1966), as anotações da mãe e as passagens anteriormente citadas de *Demian* e de "Alma de criança" mostram-nos claramente como o peso de seu drama infantil o esmagava. A despeito do enorme reconhecimento do público, do sucesso e do Prêmio Nobel, Hesse sofreu na maturidade a trágica e dolorosa sensação de ter sido separado de seu verdadeiro *self,* diagnosticada secamente pelos médicos como depressão.

A MÃE COMO AGENTE DA SOCIEDADE DURANTE O PERÍODO DOS PRIMEIROS ANOS DE VIDA

Se disséssemos a um paciente que, em outras sociedades, sua perversão não se constituiria num problema, que ela é um problema exclusivo de nossa sociedade doente, constrangedora e limitante, isso seria de pouca ajuda. Ao contrário, o paciente, como indivíduo de história própria e singular, se sentiria ignorado e incompreendido, pois essa "interpretação" não dá a devida importância à sua verdadeira tragédia. O que ele precisa compreender é sua história pessoal, da qual sua compulsão por repetir é testemunho. Essa história foi resultado de pressões sociais que, entretanto, não atuam na psique como conhecimento abstrato, mas estão ancoradas nas mais precoces experiências emocionais da criança com seus pais. Por isso, não é possível resolvê-las por meio de palavras, mas somente por meio de experiências — não meramente experiências corretivas no adulto, mas, acima de tudo, a consciência do medo prematuro ante o desprezo dos pais amados e dos sentimentos subsequentes de indignação e luto. Meras palavras, por mais habilidosa que seja a interpretação, deixarão intacta ou até aumentarão a separação entre as especulações intelectuais e o conhecimento que vem do corpo.

Portanto, dificilmente podemos curar um dependente químico ao lhe dizer que seu vício é uma reação à sociedade doente. O dependente químico aceita bem e quer crer em tais explicações que o poupam da verdade e da dor que ela lhe traz. Coisas que podemos discernir não nos põem doentes; podem e devem, sim, despertar em nós a indignação, a raiva, a tristeza ou o sentimento de impotência. O que nos adoece são as coisas que não podemos discernir, as restrições sociais que absorvemos pelos olhos de nossos pais e das quais nenhum aprendizado ou leitura pode nos livrar. São as lembranças inconscientes das compulsões e das obsessões dos pais que se manifestaram em suas ações.

Para colocar de outra forma: muitos pacientes são muito inteligentes, leem e refletem sobre o absurdo da corrida armamentista, sobre a exploração da Terra, sobre a hipocrisia diplomática, sobre a arrogância e a manipulação do poder, sobre a submissão dos fracos e sobre a impotência do indivíduo. Mas o que não enxergam — porque não podem enxergar — é o comportamento absurdo e contraditório que seus pais tiveram quando seus filhos eram ainda muito pequenos. Os pacientes não conseguem se recordar dessas ações paternas, pois naquela época foram obrigados a reprimir a dor e a raiva. Mas, quando esses sentimentos afloram e são relacionados com situações passadas, ocorre uma mudança. A interação de outrora e, consequentemente, as obsessões dos pais podem, aos poucos, ser desvendadas.

A opressão da liberdade e a necessidade de adaptação não têm início no escritório, na fábrica ou no partido, mas nas primeiras semanas de vida. Essa necessidade será reprimida no futuro, ficando sua essência inacessível a qualquer argumentação. Pois na essência da adaptação ou da obediência nada se altera com a simples troca de seu objeto.

O engajamento político pode ser alimentado pela raiva inconsciente daqueles que, quando crianças, foram abusados, aprisionados, explorados, limitados e adestrados. Na luta contra adversários políticos, por exemplo, essa raiva pode ser parcialmente descarregada sem a perda da idealização dos pais (ou de seus substitutos na infância). A antiga obediência pode ser transferida para o líder político ou para o grupo.

Mas não se dará um desengajamento social ou político se o processo de desilusão e o luto resultante forem vivenciados — e sim, pura e simplesmente, a libertação do paciente das ações feitas pela compulsão por repetir, rumo a uma ação clara, objetiva e consciente, sem automutilações.

A necessidade interior de construir constantemente novas ilusões e negações, a fim de evitar a vivência da própria verdade, desaparece assim que essa verdade for encarada e vivenciada. Descobrimos, então, que passamos toda a vida temendo e nos defendendo de algo que não pode mais acontecer — porque já aconteceu, e isso no início de nossa vida, quando éramos indefesos.

É possível conseguir um resultado terapêutico na forma de uma melhora passageira se a rígida "consciência" do paciente for "substituída" por um terapeuta tolerante ou pelo grupo. Todavia, o sentido da terapia não é querer corrigir o drama do paciente, mas possibilitar seu confronto e o luto por esse drama. O paciente precisa conseguir descobrir em si os sentimentos reprimidos a fim de vivenciar conscientemente a manipulação inconsciente e a falta de atenção dos pais e libertar-se. Enquanto ele contar com a tolerância do terapeuta ou do grupo, os olhares desdenhosos de seus pais permanecerão imutáveis, apesar de seu maior conhecimento e das melhores intenções, pois estão ocultos no inconsciente e registrados nas células de seu corpo. Embora esses sentimentos apareçam no relacionamento do paciente consigo próprio e com os outros, atormentando-o, são inacessíveis a qualquer tentativa de trabalho. Os conteúdos inconscientes permanecem atemporais e imutáveis — só em sua conscientização está o impulso à mudança.

A SOLIDÃO DAQUELE QUE DESPREZA

O desprezo que o paciente apresenta pode ter vários antecedentes em sua história de vida; em comum está a função de defesa contra os sentimentos indesejados. Deixa de existir quando esses sentimentos forem vivenciados — por exemplo, o desespero e a vergonha pelo amor não correspondido do filho e, principalmente, pelo ódio e pela indisponibilidade dos pais. Enquanto houver o desprezo do outro e a supervalorização de si mesmo ("ele não é capaz de fazer o que faço"), não precisaremos vivenciar a tristeza de saber que não seríamos amados sem nossas realizações. A grandiosidade garante a permanência da ilusão: eu fui amado. Evitar essa tristeza, entretanto, significa, no fundo, ser o próprio desprezado. Pois tudo que não é excelente, bom ou bem-feito em mim é preciso desprezar. Dessa forma, permaneço na solidão da infância: eu desprezo a fraqueza, a impotência, a insegurança — em suma, a criança indefesa que existe em mim e nos outros.

A criança pequenina, indefesa, impotente, à mercê dos outros — também desconfortável ou difícil — permanece desprezada. A sequência de sonhos de Hans pode servir de ilustração:

Hans, 45 anos, procurou pela segunda vez uma terapia devido a obsessões que o atormentavam repetidamente em seus sonhos, nos quais se via, no alto de uma torre situada num pântano da periferia da cidade de que gostava. Embora tivesse, lá do alto, uma bela vista da cidade, sentia-se triste e abandonado. A torre era servida por um elevador, mas os sonhos traziam algumas situações em que era difícil conseguir os ingressos ou havia obstáculos no acesso à torre. Na realidade, essa torre não existia na cidade; pertencia à paisagem onírica do paciente, e Hans a conhecia bem. Os sonhos se repetiam constantemente e sempre eram acompanhados por sentimentos de abandono. Durante a terapia, eles se transformaram de maneira decisiva. No início, Hans surpreendeu-se ao sonhar que estava de posse do bilhete de entrada, mas a torre tinha sido demolida e não havia mais a vista panorâmica. Em vez disso, ele viu uma ponte que ligava o pântano à cidade. Assim, pôde ir a pé até lá e ver "não tudo" de perto, mas "algumas coisas". Hans, que sofria de fobia a elevadores, sentia-se, de alguma forma, aliviado, pois o percurso de elevador no sonho sempre lhe causava medo. Falando sobre o sonho, ele achou que talvez não precisasse mais ter sempre uma visão geral, panorâmica, estar por cima, ser mais inteligente do que os outros etc. Agora, ele podia seguir a pé, como todo mundo.

Hans ficou ainda mais espantado ao sonhar novamente que andava nesse elevador e que era puxado para cima como num teleférico, sem sentir medo algum. Ele apreciou a viagem, chegou ao topo, e a plenitude de vida colorida em torno dele era curiosa: estava num platô, do qual era ainda possível avistar o vale, mas, lá no alto, havia uma cidade com um bazar cheio de mercadorias coloridas; uma escola, onde as crianças — às quais pôde se juntar — tinham aula de balé clássico (seu sonho infantil); e grupos de pessoas que discutiam, com as quais se sentou e conversou. Sentiu-se integrado nessa sociedade pelo que era. Embora o sonho expressasse mais seus desejos do que os fatos, revelou suas necessidades: amar e ser amado — independente de suas realizações.

Hans ficou muito impressionado e feliz com esse sonho, comentando:

> Meus sonhos anteriores sobre a torre mostravam sempre meu isolamento e minha solidão. Em casa, como o primogênito, sempre estive à frente dos meus irmãos; meus pais não me acompanhavam intelectualmente e eu não tinha companhia para as coisas do espírito. De um lado, tinha de demonstrar meus conhecimentos, a fim de ser levado a sério; de outro, tinha de escondê-los para evitar que meus pais dissessem: "O estudo subiu-lhe à cabeça. Você se acha melhor do que os outros, só porque teve a oportunidade de estudar? Sem o sacrifício de sua mãe e o trabalho pesado de seu pai você jamais teria estudado". Isso me fez sentir culpado e eu queria esconder minha diferença, meus talentos e interesses. Eu queria ser como os outros. Mas, dessa maneira, fui infiel a mim mesmo.

Assim, ele buscou sua torre, lutou contra os obstáculos (caminho, bilhetes de entrada, medo etc.) e, ao chegar no topo, isto é, quando ele se tornou mais inteligente que os outros, sentiu-se sozinho e abandonado.

Uma contradição bastante frequente consiste no fato de os pais assumirem uma atitude rancorosa e competitiva com os filhos, mas, ao mesmo tempo, pressioná-los para realizar os maiores feitos e sentirem-se orgulhosos de seu sucesso. Dessa forma, Hans precisou procurar sua torre e precisou também lutar contra os obstáculos. Finalmente, ele se revoltou contra a pressão por resultados e contra o estresse, e a torre sumiu nos primeiros sonhos. Ele pôde abandonar a grandiosa fantasia de observar tudo de cima, podendo se aproximar das coisas "de sua amada cidade" (de seu verdadeiro *self*).

Somente agora Hans percebeu que havia sido compelido a isolar-se dos outros por meio de seu desdém e, ao mesmo tempo, estava isolado e separado da parte indefesa e insegura de seu verdadeiro *self*.

No momento em que surge o luto pelo irreversível, o desprezo começa a desaparecer. A seu modo, também o desprezo servia à negação da realidade passada, pois é menos doloroso imaginar que a culpa por não sermos entendidos é nossa. Assim, podemos nos esforçar para tentar esclarecer algo aos outros, a fim de resguardar a ilusão da compreensão ("se eu estiver me expressando direito").[6] Se esse esforço é deixado de lado, porém, é preciso vivenciar que a compreensão não era possível em si, pois a repressão do destino da própria infância cegou os pais para as necessidades de seus filhos.

Mesmo pais conscientes não poderão compreender seus filhos o tempo todo. Mas respeitarão os sentimentos das crianças, mesmo quando não as puderem entender. Nesses casos, a criança não precisa procurar no desprezo um abrigo ante a verdade dolorosa, como infelizmente ocorre com muita frequência. Nacionalismo, xenofobia, fascismo são, na verdade, nada mais do que disfarces ideológicos dessa fuga. Em seus programas está a fuga das lembranças reprimidas e torturantes do desprezo, agora transformada no desprezo perigoso e destrutivo dos seres humanos. A crueldade, até então oculta, imposta à criança é manifestada

---

6. Exemplos impressionantes nesse sentido são, entre outros, as obras de Van Gogh e do pintor suíço Max Gubler, que tentaram por todos os meios à sua disposição conquistar, sem sucesso, a compreensão da mãe.

pelas violentas gangues juvenis, mas sua origem na infância é negada não só pelos atingidos como também por grande parte da sociedade.

LIBERTANDO-SE DO DESPREZO

Perversões sexuais, neuroses obsessivas e a *ideologização* não são as únicas possibilidades para a perpetuação do sofrimento prematuro de desprezo. Há incontáveis maneiras pelas quais podemos observar sutis nuanças dessa tragédia. O desapontamento da criança pela rejeição de seu *self* por parte dos pais manifesta-se, primeiramente, da mesma forma pela qual a criança se sentiu rejeitada pelos pais.

A reprodução inconsciente do clima familiar pode assumir diversas faces. Há pessoas, por exemplo, que nunca falam alto ou dizem palavrões, que parecem ser apenas boas e nobres e que, ao mesmo tempo, transmitem claramente a sensação de que os outros são idiotas, burros ou barulhentos, no mínimo comuns demais se comparados a elas. Elas não se dão conta e talvez nem queiram sinalizar isso, mas é essa sensação que irradiam. Seu comportamento reflete a atmosfera emanada por seus pais, da qual nunca se conscientizaram. Tais filhos têm muitas dificuldades em formular qualquer tipo de crítica, até o momento em que, na terapia, aprendem a fazê-lo.

Existem também pessoas que podem ser muito amistosas, com um leve traço de benevolência, mas em cuja presença os outros se sentem invisíveis. Elas passam a sensação de que são as únicas a existir, só elas têm algo interessante ou relevante a dizer. Os outros são meras figuras decorativas e devem apenas admirá-las ou se retrair, decepcionados e tristes por saber de sua pequenez. É possível que sejam filhos de pais grandiosos, com os quais não podiam rivalizar, e é essa atmosfera que reproduzem ao seu redor quando adultas.

De maneira diferente, apresentam-se as pessoas que, em sua infância, foram muito superiores intelectualmente a seus pais, que as admiravam e, por esse motivo, as abandonavam com seus problemas, pois não se sentiam à sua altura. Essas pessoas podem transmitir a sensação de potência, mas, simultaneamente, desafiam os outros a lutar com meios intelectuais contra qualquer sentimento de fraqueza. Na presença delas parece impossível ter problemas, exatamente como seus pais queriam que fossem: sempre fortes, resolvidas.

Com base nisso, é fácil compreender que existem professores que seriam totalmente capazes de se expressar de maneira clara, mas que precisam se utilizar de uma linguagem tão complicada e estranha que o aluno só pode se apropriar dela com um misto de raiva e aplicação, sem fazer qualquer uso desse conhecimento. Possivelmente, a partir daí, o aluno vai vivenciar sensações que os professores tiveram de reprimir na presença de seus pais. Caso esses alunos se tornem professores mais tarde, terão oportunidade, por sua vez, de oferecer a seus alunos esse conhecimento inútil como algo precioso, que tanto lhes custou.

A terapia recebe um considerável impulso rumo ao êxito com a conscientização dos padrões destrutivos dos pais. Reiterando o já exposto: para nos livrarmos desses padrões, é necessário mais que apenas um *insight* intelectual. Precisamos de uma confrontação emocional com nossos pais num diálogo interior.

O objetivo da terapia foi alcançado quando, graças ao trabalho emocional feito com a história de sua infância, o paciente tiver recuperado sua vitalidade.

Em seguida, cabe a cada um decidir arrumar um emprego estável ou não; viver sozinho ou com um parceiro; entrar ou não para um partido político e para qual deles — essas são decisões suas. A história de sua vida, os acontecimentos e suas experiências desempenharão aqui um papel importante. Não é nossa tarefa "socializá-lo", "educá-lo" (nem politicamente, pois toda forma de educar é um tipo de tutela), nem "possibilitar-lhe amizades", pois tudo isso compete apenas ao próprio paciente.

Mas, se o paciente tiver *vivenciado conscientemente,* por várias vezes, como foi manipulado e lesado quando criança, e quais desejos de vingança foram despertados, perceberá mais facilmente as manipulações e terá, ele mesmo, menos necessidade de manipular os outros. Ele poderá participar de grupos sem se sentir desamparado nem dependente, uma vez que vivenciou o desamparo e a dependência de sua infância. Tendo percebido com suficiente clareza como tomou cada palavra proferida pelo pai ou pela mãe como enunciação da mais profunda verdade, estará menos propensa a idealizar pessoas ou sistemas. Dessa forma, depois de ouvir uma palestra realmente ruim, ou depois de ler um livro da mesma categoria, poderá sentir a mesma fascinação e admiração infantil de outrora, para, em seguida, perceber o vazio ou a tragédia humana que está por trás disso. Essa pessoa não poderá mais ser trapaceada com palavras fascinantes e incompreensíveis, pois ela amadureceu com a *experiência.* Por fim, a pessoa que, de maneira consciente, trabalhou toda a tragédia de seu destino reconhecerá mais fácil e rapidamente o sofrimento do outro, mesmo que este ainda precise tentar escondê-lo. Não zombará dos sentimentos alheios, de qualquer natureza, porque é capaz de levar os próprios sentimentos a sério. Seguramente, não realimentará o círculo vicioso do desprezo.

Esses desenvolvimentos não têm consequências apenas pessoais e familiares, mas também políticas. Pessoas que descobriram seu passado e aprenderam a esclarecer seus sentimentos e pesquisar seus verdadeiros motivos não estão mais pressionadas a transferir seu ódio aos inocentes, a fim de poupar quem verdadeiramente o merece. Elas têm condições de odiar o que é odiável e amar o que é digno de amor. Na medida em que ousam saber quem merece o seu ódio, conseguem ter a exata medida da realidade sem cair na cegueira da criança maltratada que precisa poupar os pais e, por isso, procura bodes expiatórios.

O futuro da democracia depende dessas iniciativas individuais. Enquanto não conseguirmos clarificar os nossos sentimentos, de nada adiantará apelar para o amor e a razão. Não é possível enfrentar o ódio com argumentos lógicos, é preciso entender suas causas e se utilizar de um instrumental que possibilite resolvê-lo.

A vivência de emoções fortes é libertadora, não apenas porque o corpo, tenso desde a infância, pode "aliviar-se", mas principalmente porque essa vivência nos abre os olhos à realidade, nos liberta de ilusões, nos devolve lembranças reprimidas e, frequentemente, cura nossos sintomas. Por isso, tem também um caráter fortificador e evolutivo. Quando o ódio for finalmente vivenciado e percebido em sua legitimidade, ele acabará. Retornará apenas, e com razão, assim que houver novos motivos para tal.

Mas o ódio ilegítimo, transferido aos inocentes, não tem fim, nunca poderá se aplacar. Ele é desesperador porque mascara a realidade e torna impossível apreendê-la como tal. É destruidor porque nasce da história reprimida de uma destruição, cuja crueldade o corpo armazenou integralmente. Ele envenena a alma, devora a memória, mata não só a capacidade de *insight* como, no fundo, também a razão. Uma construção baseada na autoenganação ruirá mais cedo ou mais tarde, destruindo sem piedade vidas humanas. Se não a vida de seu construtor, a de seus filhos — aqueles que receberão a mentira de seus pais e que não a podem reconhecer, falindo exatamente por isso. São eles que pagam integralmente pela fuga de seus pais.

A pessoa que sabe lidar com seus sentimentos de maneira honesta, sem enganar a si mesma, não precisa disfarçá-los com ideologias e, por isso, é inofensiva às outras. As incontáveis formas de confusões nacionalistas mostram-nos claramente que estamos sempre diante da mesma loucura — cujos motivos estão enraizados nos sentimentos reprimidos e nas lembranças de seus responsáveis —, que nada tem em comum com considerações racionais.

O ódio à vida e o encantamento por destruir são o ponto em comum entre os nacionalistas de todo o mundo, como se todos usassem um mesmo uniforme internacional. Essa destrutividade provém da mesma fonte, ou seja, da história de torturas recebidas na infância, que não lembramos ou nem queremos saber — e que a sociedade negou totalmente até há pouco. Hoje, não podemos mais nos permitir essa negação, pois os riscos aumentam de maneira exponencial. Pessoas que estão dispostas a escavar sua história da escuridão do esquecimento encorajam outras a fazerem o mesmo, possibilitando, dessa forma, que sua consciência traga mais luz e clareza à escuridão da "política" de nossos dias.

POSFÁCIO DE 2008

Desde o lançamento deste livro, em 1979, muitos leitores me dizem que sua leitura lhes trouxe de volta à vida a pequena criança confusa, amedrontada e não compreendida que foram um dia. Contam que, há décadas, precisaram abandoná-la e esquecê-la, sem que tivessem se dado conta disso até hoje. Muitos se mostram surpresos ao perceber que, durante tanto tempo, não fizeram ideia da existência e do sofrimento dessa criança. Muitos afirmam que, pela primeira vez, sentiram a aflição e as dores dessa criança em tal intensidade que podiam até chorar. Com frequência, eu lia algo assim: "Você descreveu a minha vida e a da minha família. Como soube de tudo isso? Você conhecia a minha família?"

As intensas reações emocionais suscitadas pelo livro provavelmente se devem ao fato de que o trabalho neste ensaio marcou meu próprio despertar emocional, a decisão de procurar pelos inícios da minha vida, de decifrar minha história e de conduzir minha própria vida sem a carga estranha que minha educação e a formação de analista haviam me imposto.

Tal decisão coloca em curso um processo que toma muito tempo. Estou feliz de que o destino me tenha oferecido esse tempo, de que me tenha sido possível não só descobrir a história quase totalmente reprimida da minha infância mas também ver que ela não é exceção, que há milhões de pessoas que, no passado, foram tratadas com violência e abusadas e que, assim como eu, nunca haviam refletido sobre as consequências dessas experiências. Essa descoberta me libertou dos medos, enigmas e sentimentos de culpa que minha infância me legou, e também de teorias pedagógicas e psicanalíticas amplamente reconhecidas que, como notei, foram construídas para abafar ou ocultar a dolorosa realidade da infância.

Essa noção deu início às minhas pesquisas, que também abrangeram as infâncias de ditadores e de escritores famosos, mortos precocemente. Em todos os casos, encontrei, sem exceção, o mesmo padrão: a total negação das torturas sofridas e a idealização dos pais abusadores, algo que na idade adulta leva à destruição ou à autodestruição.

Os resultados de minhas pesquisas estão em todos os meus livros, os últimos *Revolte des Körpers* [A revolta do corpo] e *Dein gerettetes Leben* [Sua vida salva]. A partir de artigos e entrevistas reproduzidos em minha página na internet*, os leitores de *O drama da criança bem-dotada* também podem se informar sobre as conclusões de minhas investigações.

Mas são principalmente as cartas de leitores e minhas respostas a elas que oferecem uma visão de meu conceito terapêutico atual. Inúmeras cartas de leitores ilustram como algumas pessoas conseguiram se livrar não apenas de depressões, mas também de sintomas físicos, consequências de suas negações, depois de se voltarem para sua sina de criança. Elas ousaram vivenciar conscientemente seus medos reprimidos diante de pais ameaçadores, permitir sua raiva justificada e reagir com indignação aos maus-tratos sofridos, em vez de se culpar, como no passado, pelas humilhações suportadas. Assim, foi reduzida sua dependência paralisante, mórbida, de pais outrora abusivos. Os relatos

---

* www.alice-miller.com [N.E.]

desses sucessos encorajaram outros visitantes desse site a sentir o que há tempos não ousavam sentir e perceber que seus esforços são efetivos e totalmente inofensivos.

A pequena criança surrada que vive em nós, adultos, parece temer os piores castigos quando se defende da injustiça e, principalmente, quando ousa ver o que seus pais lhe fizeram nos primeiros anos, quando era totalmente indefesa e estava à mercê de sua atenção amorosa. Mas, quando ela percebe, com a ajuda do adulto que se tornou, que o perigo do castigo não representa mais uma ameaça, consegue se libertar de seu medo e abrir mão da linguagem dos sintomas corporais.

Imagino que esse site responda a muitas perguntas que este livro suscita. Mas, sem tê-lo lido, sem ter dado esse primeiro passo, da abertura à criança que fomos um dia, o acesso ao material online pode ainda se manter em parte inacessível. É possível que a criança que você descobriu a partir da leitura de O drama ajude você a se orientar nessa página da internet para que encontre, em meio à grande quantidade de material disponível, justamente aquilo de que precisa hoje.

AS RAÍZES DA VIOLÊNCIA

12 PONTOS*

Faz alguns anos que está cientificamente comprovado que as consequências devastadoras da traumatização da criança retornam inevitavelmente à sociedade. Esse conhecimento diz respeito a todas as pessoas e deve — caso alcance ampla divulgação — conduzir à mudança de nossa sociedade, sobretudo à libertação da escalada cega da violência. Os seguintes pontos tentam explicar o que se quer dizer:

1 Cada criança vem ao mundo para crescer, se desenvolver, viver, amar e articular suas necessidades e sentimentos para sua proteção.

2 A fim de conseguir se desenvolver, a criança precisa da atenção e da proteção de adultos que a levem a sério, a amem e a ajudem honestamente a se orientar.

3 Caso essas necessidades de importância vital da criança sejam frustradas, ela será, vez disso, explorada, surrada, castigada, abusada, manipulada, abandonada, traída em proveito das necessidades de adultos, sem que nenhuma testemunha intervenha, fazendo que sua integridade seja ferida de maneira duradoura.

4 As reações normais ao dano são raiva e dor. Visto que a raiva, num entorno danoso, se mantém proibida à criança e que a vivência da dor na solidão seria insuportável,

---

* Texto escrito pela autora originalmente em 1984 [N. E.]

ela tem de reprimir esses sentimentos, sufocar a lembrança do trauma e idealizar seus agressores. Mais tarde, ela não saberá pelo que passou.

5 Os sentimentos de raiva, impotência, desespero, anseio, medo e dor, separados de seu motivo autêntico, acabam sendo expressos em atos destrutivos contra outros (criminalidade, genocídio) ou contra si mesmo (drogadição, alcoolismo, prostituição, doenças psíquicas, suicídio).

6 As vítimas de atos de vingança são, com frequência, os próprios filhos, que têm a função de bodes expiatórios e cuja perseguição ainda é totalmente legítima em nossa sociedade; sim, ainda é motivo de admiração quando chamada de educação. É trágico que as pessoas surrem os próprios filhos para que aquilo que seus pais lhes infligiram no passado não seja sentido.

7 Para que uma criança abusada não se torne criminosa ou desenvolva uma doença mental, é preciso que ela se depare, pelo menos uma vez na vida, com uma pessoa que saiba claramente que não é a criança surrada, indefesa, que está maluca, mas sim seu entorno. Nesse sentido, o conhecimento ou o desconhecimento da sociedade pode ajudar a salvar vidas ou contribuir para sua destruição. Aqui está a grande possibilidade para familiares, advogados, juízes, médicos e cuidadores tomarem o partido da criança e acreditarem nela.

8 Até hoje, a sociedade protege os adultos e culpa as vítimas. Em sua cegueira, ela é apoiada por teorias que, bem no espírito do padrão de educação de nossos bisavós, enxergam na criança um ser perverso, dominado por impulsos malignos, que inventa histórias mentirosas e que ataca os pais inocentes ou os deseja sexualmente. Na realidade, toda criança tende a culpar a si mesma pelas crueldades dos pais e a tirar a responsabilidade dos pais, a quem sempre ama.

9 Apenas há alguns anos é possível comprovar, graças à aplicação de novos métodos terapêuticos, que vivências traumáticas reprimidas da infância ficam arquivadas no corpo e, caso tenham permanecido inconscientes, repercutem na vida da pessoa adulta. Além disso, medições eletrônicas em crianças não nascidas descobriram um fato que até então a maioria dos adultos desconhecia: desde o início, a criança sente e aprende tanto a delicadeza quanto a crueldade.

10 Graças a esses novos conhecimentos, todo comportamento absurdo revela sua lógica até então oculta uma vez que as experiências traumáticas da infância não mais precisam ficar no escuro,

11 Nossa sensibilização pelas crueldades na infância e suas consequências, até então normalmente negadas, conduzirá por si mesma a um fim da transmissão da violência de uma geração a outra.

12 Pessoas que não tiveram sua integridade danificada na infância, que puderam sentir proteção, respeito e sinceridade por parte dos pais, serão jovens inteligentes, sensíveis, empáticos e altamente sencientes. Elas terão alegria de viver e não sentirão necessidade de ferir ou matar alguém ou a si mesmas. Usarão seu poder para se defender, mas não para atacar os outros. Não conseguirão fazer outra coisa senão cuidar e proteger os mais fracos, ou seja, também seus filhos, porque tiveram essa experiência no passado e porque esse conhecimento (e não a crueldade) está arquivado nelas desde o início. Essas pessoas nunca estarão em condições de entender por que seus antepassados tiveram de construir uma indústria bélica gigante para se sentirem bem e seguros neste mundo. Visto que a defesa de ameaças precoces não será sua tarefa inconsciente de vida, poderão lidar com ameaças reais de maneira mais racional e mais criativa.

PERFIL DE ALICE MILLER

SOBRE A REALIDADE DA INFÂNCIA

Alice Miller (1923-2010) cursou filosofia, psicologia e sociologia na Basileia, Suíça. Depois da conclusão dos estudos, fez formação psicanalítica em Zurique e passou 20 anos exercendo a profissão. Em 1980, encerrou o consultório e as atividades docentes para se dedicar à escrita. Publicou 13 livros, divulgando para uma ampla gama de interessados os resultados de suas pesquisas sobre a infância.

Entre os 192 membros da ONU, até hoje apenas 65 países proibiram o castigo corporal de crianças. Nos Estados Unidos, ainda são 19 os estados que permitem punições às crianças, inclusive durante a adolescência. Pessoas que se indignam com esses fatos e que se dão conta de seus efeitos para o futuro compreenderão todos os livros de Alice Miller. Elas também compreenderão por que essa autora se engajou em libertar a sociedade de sua ignorância. Com a ajuda de seus livros, artigos, folhetos, entrevistas e respostas a cartas de leitores em sua página na internet, ela tentou mostrar que os maus-tratos infantis geram não apenas crianças infelizes e perturbadas, jovens destrutivos e pais abusadores, como também uma sociedade perturbada, de funcionamento irracional.

Alice Miller enxergava as raízes da violência mundial no fato de que crianças são surradas em todos os lugares, e isso nos primeiros anos, período em que o cérebro está em formação. A sociedade mal atina com os danos que surgem dessa prática, mas eles são desastrosos. Pois as crianças não podem se defender da violência sofrida; elas têm de reprimir reações naturais como raiva e medo, descarregando essas fortes emoções apenas quando adultos, em seus próprios filhos ou em povos inteiros. Alice Miller descreveu essa dinâmica em seus 13 livros e a ilustrou com histórias de casos e com base em seus inúmeros estudos sobre trajetórias de vida de ditadores e artistas famosos. A evitação dessa temática em todas as sociedades que ela estudou faz que comportamentos irracionais, brutalidade, sadismo e outras perversões sejam produzidos sem mais na infância e os produtos sejam considerados naturais ou de origem genética. Apenas por meio da conscientização dessa dinâmica é que a corrente de violência pode ser interrompida, afirmava Alice Miller, que dedicou a obra de toda a sua vida a esse objetivo.

Em seus últimos anos, ela desenvolveu um conceito terapêutico que sugere à pessoa que sofre que confronte a própria história a fim de aceitar o medo inconsciente da criança abusada (mas que ainda está altamente ativo nela) e sua indignação justificada e raivosa. Pois é esse medo dos pais todo-poderosos que faz que adultos maltratem os próprios filhos ou vivam com doenças sérias, trivializando as torturas outrora vivenciadas. Inúmeras ofertas esotéricas e "espirituais" servem para obscurecer a dor de uma tortura passada. Na visão de Alice Miller, essa descoberta, apesar dos aspectos tristes, contém, no fundo, propostas muito otimistas, pois abre a porta à consciência, à percepção da realidade da infância e, portanto, à libertação do adulto de seu medo infantil e de suas consequências destrutivas. Em dado momento, a autora passou a entender sua busca pela realidade da infância como uma oposição contundente à psicanálise, que, segundo a antiga tradição, culpa a criança e protege os pais. Por esse motivo, nos anos 1980, ela abriu mão de sua filiação a esse grêmio.

www.gruposummus.com.br